dtv
premium
D0240973

C. S. FORESTER

GRAUSAME SCHULD

KRIMINALROMAN

Deutsch von
Britta Mümmler

Deutscher Taschenbuch Verlag

Von C. S. Forester
sind im Deutschen Taschenbuch Verlag erschienen:
Tödliche Ohnmacht (14388)
Gnadenlose Gier (26020)

Titel der Originalausgabe:
›Payment Deferred‹
London 1926

Originalausgabe 2015
Deutscher Taschenbuch Verlag GmbH & Co. KG,
München

Umschlagkonzept: Balk & Brumshagen
Umschlagbild: Nick Morley
Gesetzt aus der Scala 10/14˙
Satz: Bernd Schumacher, Augsburg
Druck und Bindung: Druckerei Kösel, Krugzell
Gedruckt auf säurefreiem, chlorfrei gebleichtem Papier
Printed in Germany · ISBN 978-3-423-26045-9

1

»Seid still, Kinder«, sagte Mrs Marble. »Seht ihr nicht, dass Vater zu tun hat?«

Das hatte er. Er stützte seine schmerzende Stirn in die Hand und zupfte in einem glücklosen Versuch sich zu konzentrieren, an seinem rötlichen Schnurrbart. Es war schwierig, mit den Gedanken die ganze Zeit über bei diesen verflixten Zahlen zu bleiben, und das wäre es sogar dann gewesen, wenn Winnie neben all dem angestrengten Gemurmel über ihren Geometrie-Hausaufgaben nicht auch noch versucht hätte, John mit einem Lineal zu pieksen. Mr Marble fummelte an seinem Schnurrbart herum, während er die Zahlenkolonne auf dem Blatt Papier vor sich anstarrte. Die Ziffern schienen wie in einem leichten Dunst vor seinen Augen zu tanzen. Da hatte er nun wochenlang all seinen Mut zusammengenommen, um sich an diese Aufgabe heranzuwagen, und schon in dem Augenblick, als er sich daranmachte, hätte er sie am liebsten wieder hingeworfen. Er war überzeugt, dass es ohnehin vollkommen sinnlos war, sich diese Zahlen anzusehen. Mittlerweile war doch schon alles sinnlos.

Die Zahlenkolonne war kurz und bündig mit »Schulden« überschrieben. Die Miete war seit drei Wochen überfällig, und das war noch der niedrigste der aufgelisteten Beträge. Dem Fleischer und dem Bäcker schuldete er jeweils über vier Pfund, und die Milchrechnung belief sich auf über fünf. Wie um alles in der Welt hatte Annie es fertiggebracht, eine Milchrechnung von fünf Pfund auflaufen zu lassen? Evans, dem Lebensmittelhändler, schuldete er mehr als sechs Pfund. Mr Marble hatte das Gefühl, dass er Evans hasste, ja ihn immer schon gehasst hatte, seitdem sie, vor mittlerweile einem Dutzend Jahren, als junges Ehepaar in der Malcolm Road eingezogen waren und Evans sie, komplett ausgestattet mit Schürze, Korb und Backenbart, aufgesucht hatte, um sie als Kunden zu werben. Annie hatte ihm eben erzählt, dass Evans gedroht habe, die Pfändungsbeamten einzuschalten, wenn er sein Geld nicht bekäme. Die Bank würde ihn ganz bestimmt feuern, wenn irgendetwas dergleichen passierte. Vor Mr Marbles strapazierten Augen schien plötzlich die Gestalt von Mr Evans bedrohlich über dem Papier, das er da betrachtete, aufzuragen, mit aufblitzenden Zähnen und einem heimtückischen Blick im Auge, ganz wie der Teufel, der er war. In einem jähen Anfall von Hass biss Mr Marble heftig in das Ende seines Bleistifts.

Und es fanden sich noch ein paar weitere Einträge in der Liste. Auch die Namen einiger Männer aus der Bank standen auf dem Blatt Papier, und daneben waren jeweils die Beträge notiert, die Mr Marble ihnen schuldete. Manche dieser Männer hatten sogar ein niedrigeres Einkommen als er, und trotzdem gelang es ihnen, schuldenfrei zu bleiben – ja manchmal waren sie sogar noch in der Lage, armen Teufeln wie ihm Geld zu leihen. Aber sie waren natürlich auch nicht verheiratet, oder wenn doch, dann nicht mit einer so verschwenderischen Ehefrau wie Annie. Nicht, dass Annie wirklich verschwenderisch gewesen wäre. Eigentlich nicht. Sie war einfach nur unbedacht. Ganz wie er selbst, dachte Mr Marble mit überdrüssigem Selbstvorwurf und beugte sich wieder über die Zahlen. Seine Schulden beliefen sich auf nicht weniger als dreißig Pfund! Auf die Haben-Seite hatte er nichts geschrieben. Er kannte die Höhe seines Vermögens zu gut, um sich diese Mühe zu machen. Sie war ihm nur allzu bewusst. Das Guthaben auf seinem Konto bei der Bank war auf fünf Shilling zusammengeschrumpft, und in der Tasche hatte er noch zwei Zwei-Shilling-Münzen. Und es war vollkommen unmöglich, das Konto zu überziehen. Das würde nur ganz genauso die Entlassung bedeuten.

Es war sein Fehler, dachte er niedergeschlagen. Er hatte das alles doch schon seit dem letzten Sommer kommen sehen, aber da war er noch der Ansicht gewesen, wenn sie nicht in den Urlaub fahren und zu Weihnachten kaum etwas ausgeben würden, käme es schon wieder in Ordnung. Aber sie waren in den Urlaub gefahren, und sie hatten zu Weihnachten mehr ausgegeben, als sie sich hätten leisten können. Nein, das war Annies Fehler gewesen. Sie hatte gesagt, dass die Leute es bestimmt komisch finden würden, wenn die Familie nicht, so wie sie es allen erzählt hatte, nach Worthing fuhr. Und das hatte Annie so oft wiederholt, dass sie schließlich doch gefahren waren. Und natürlich war es im Grunde auch ihre Schuld, dass da all diese Beträge hinter den Namen der Männer aus der Bank auf Mr Marbles kleiner Liste notiert waren. Ein Mann musste sich eben gelegentlich auch einmal einen Drink leisten, wenn er um halb zwölf kurz das Büro verließ, und natürlich musste er seinen Freunden auch einen spendieren, wenn sie ihn begleiteten. Er hätte ja auch problemlos für sie zahlen können, wenn nicht stattdessen Annie all sein Geld ausgegeben hätte. Und er musste auch rauchen, und gelegentlich gut zu Mittag essen. Mr Marble weigerte sich entschieden, auch nur darüber nachzudenken, wie viel er für sein Hobby der Fotografie ausgegeben hatte. Er wusste, dass es mehr war, als es hätte sein sollen, und irgendwo tief in seinem Innersten hatte er so ein ungutes Gefühl, dass es da noch eine weitere, auf seiner Liste unberücksichtigte offene Rechnung beim Drogisten am anderen Ende der Straße gab für Sachen, die er zu diesem Zweck gekauft hatte. Die Fächer des Schränkchens oben im Badezimmer quollen über von Utensilien, und daran dachte Mr Marble nun wirklich nicht gern, denn er hatte nie auch nur die Hälfte davon benutzt, weil es ihm in letzter Zeit mehr Vergnügen bereitet hatte, über sein Hobby nachzudenken und Sachen dafür einzukaufen, als es tatsächlich auszuüben.

Was für eine leidige Angelegenheit, das alles, geradezu zermürbend. Wie sein Kopf ihn schmerzte, und wie erschöpft er sich fühlte! Er war ganz benommen. Und so wurde das grausame Gefühl schierer Verzweiflung langsam von einer Trägheit der Seele hinweggeschwemmt. Nur unbestimmt kam ihm noch zu Bewusstsein, dass seine so oft wiederholte Drohung, die Kinder ohne Abendessen ins Bett zu schicken, wohl bald schon auch ohne sein Zutun Wirklichkeit werden würde. Die Bank würde ihn feuern, und er würde nie wieder eine Stelle finden. Das wusste er nur allzu gut. Und schließlich, so vermutete er, würden sie enden wie in den Fällen, von denen man sonst eigentlich nur in der Zeitung las, seine Kinder mit durchgeschnittener Kehle und seine Frau und er selbst tot durch Gasvergiftung. Doch in diesem Moment kümmerte ihn das kaum. Er wollte sich nur noch entspannen. Wenn die verflixten Kinder endlich im Bett lagen, würde er sich den Sessel ans Kaminfeuer ziehen, die Füße auf die Kohlenkiste hochlegen, die Zeitung lesen und es sich eine Zeit lang gemütlich machen. In der Karaffe in der Anrichte war sogar noch ein kleiner Rest Whisky. Nicht viel natürlich; drei Drinks etwa, oder vielleicht auch vier. Mr Marble hoffte, dass es vier waren. Mit einem Drink und einer Zeitung vor dem Kaminfeuer würde er seine Sorgen für eine Weile vergessen können, schließlich konnte er an diesem Abend ohnehin nichts mehr tun, um sie aus der Welt zu schaffen. Mr Marble bemerkte kaum, dass er sich nun schon seit Monaten jeden Abend immer wieder dasselbe sagte. Die Aussicht schien so unbeschreiblich verlockend. Er sehnte sich geradezu nach der Karaffe in der Anrichte. Und draußen heulte der Wind und ließ den Regen gegen die Fenster prasseln. Das würde es nur umso gemütlicher machen, wenn er erst am Kaminfeuer saß.

Aber zuerst einmal musste er die Kinder loswerden. Denn aus irgendeinem unerfindlichen Grund hatte Mr Marble etwas dagegen, vor den Kindern Whisky zu trinken. Bei seiner Frau war ihm das nicht so wichtig, obwohl es ihm lieber gewesen wäre, auch sie aus dem Weg zu haben. Der Blick auf die Uhr enttäuschte ihn ein wenig. Es war kaum halb acht, und die Kinder würden erst in einer halben Stunde zu Bett gehen, frühestens. Auf einmal überfiel ihn eine Gereiztheit. Verstohlen spähte er unter den Augenbrauen hervor, um zu sehen, ob er sie nicht bei einer Ungezogenheit ertappen und unverzüglich nach oben schicken könnte. Der Whisky würde noch so viel besser schmecken, wenn er ihn direkt nach dem elterlichen Triumph, gebieterisch seine Autorität demonstriert zu haben, trinken konnte.

»Mach nicht so einen Lärm, John«, wies er seinen Sohn mit seltsam kraftloser Schärfe zurecht.

John blickte sich etwas erschrocken um auf seinem Stuhl beim Kaminfeuer. Noch fünf Sekunden zuvor war er völlig vertieft gewesen in die Seiten von ›Wie England Europa rettete‹, eine Geschichte der Befreiungskriege, und hatte eine Brigade Füsiliere über Unmengen von Toten hinweg den blutbesudelten Hügel von La Albuera hinaufgeführt. Jetzt sah er seinen Vater mit verständnislosem Blick an.

»Sieh mich nicht an wie ein Dummkopf«, stieß Mr Marble

hervor. »Tu, was man dir sagt, und hör auf, so einen Lärm zu machen.« Die Zurechtweisungen bedeuteten beide dasselbe, doch das verstand John nicht.

»Was hast du gesagt?«, fragte er unbestimmt.

»Jetzt werde nicht auch noch frech. Hör auf, so einen Lärm zu machen, habe ich gesagt.«

»Was denn für Lärm, Vater?«, fragte John, mehr um Zeit zu gewinnen und seine Gedanken sammeln zu können als aus irgendeinem anderen Grund. Doch diese Frage wirkte sich fatal aus.

»Versuch nicht, es abzustreiten«, sagte Mr Marble.

»Also wirklich, Johnny, du weißt doch, dass du Lärm gemacht hast«, meinte Mrs Marble.

»Du hast mit den Füßen gekickt«, warf Winnie ein.

»Ich hab's ja gar nicht abgestritten«, protestierte John.

»Doch«, sagte Mrs Marble.

»Doch«, sagte Winnie.

»Sei still, Winnie«, fuhr Mr Marble sie mit seiner üblichen Lieblingszurechtweisung auf recht unübliche Weise an. »Du bist genauso schlimm wie er, und das weißt du auch. Bist du jetzt endlich fertig mit deinen Hausaufgaben? Ich schicke dich auf eine gute, teure Schule, und das ist nun alles, was ich davon habe.«

»Wieso, ich hab doch ein Stipendium«, erwiderte Winnie, den Kopf zurückwerfend.

»Wirst du jetzt auch noch frech?«, fragte Mr Marble. »Ich weiß nicht, was euch Kindern eigentlich einfällt. Es ist wirklich Zeit fürs Bett, wenn ihr anfangt, euren Eltern gegenüber unverschämt zu werden.«

Die fatalen Worte waren ausgesprochen, und die Kinder sahen einander bestürzt an. Mrs Marble versuchte, sich auf ihre typisch zaghafte Weise für sie einzusetzen.

»Oh, aber jetzt doch noch nicht, Vater«, sagte sie.

Mehr als diesen Einwand brauchte Mr Marble nicht, um in dieser Angelegenheit eine äußerst entschlossene Haltung zu zeigen.

»Sofort«, sagte er. »John, ab ins Bett – und lass das Buch hier unten. Winnie, pack deine Sachen ordentlich für morgen früh, und dann auch für dich Abmarsch. Lasst euch das eine Lehre sein.«

»Aber ich hab meine Hausaufgaben noch gar nicht fertig«, jammerte Winnie, »und es gibt richtig Ärger, wenn ich die morgen nicht mitbringe.«

John erwiderte nichts und fragte sich nur, wie die Füsiliere bei ihrem weiteren Truppenvorstoß wohl ohne ihn zurechtkommen würden. Sogar Mrs Marble fühlte sich veranlasst, angesichts dieser drakonischen Maßnahme noch weiter zu protestieren; doch ihr halbherziges Bitten wurde von beiden Seiten ignoriert.

»Wird's bald, ich warte«, sagte Mr Marble.

Es war unabwendbar. Missmutig begann Winnie ihre Bücher zusammenzupacken. John stand auf und legte ›Wie England Europa rettete‹ auf den Tisch. Just in diesem Moment aber, in letzter Minute sozusagen, kam die rettende Ablenkung. Und zwar in Form eines Klopfens an der Haustür. Einen Augenblick lang sahen alle einander erschrocken an, denn Besucher waren eine Seltenheit in der Malcolm Road, und besonders zu so außerordentlich später Stunde, um halb acht. Winnie erholte sich als Erste.

»Ich mach auf«, sagte sie und schlüpfte schon durch die Tür in den Flur.

Die anderen hörten sie mit dem Türriegel hantieren, und dann flackerten plötzlich die Gaslampen, als ein Windstoß durch die offene Haustür hereinfegte. Eine fremde, laute, männliche Stimme war zu hören, die nach Mr Marble fragte. Er wollte gerade ebenfalls hinausgehen, als Winnie wieder auftauchte.

»Jemand für dich, Vater«, sagte sie, und sie hatte ihren Satz kaum beendet, da trat der Mann, dem die fremde Stimme gehörte, auch schon hinter ihr ein.

Er war hochgewachsen und jung, und schien eine Studie in Brauntönen zu sein, denn er trug einen braunen Trenchcoat und Schal, darunter einen brauen Tweedanzug und dazu braune Schuhe und Socken. Sogar sein Gesicht war braun gebrannt, auch wenn der heulende Wind draußen ihm eine warme rote Färbung verliehen hatte. Er war auf eine jugendliche, legere Art elegant und sah gut aus, und das Glitzern der Regentropfen auf seinem Schal, das Blitzen seiner dunklen Augen und der kalte Windstoß, der zur selben Zeit ins Zimmer hereinstob wie er, das alles zusammengenommen gab seinem unerwarteten Erscheinen eine so dramatische Note, dass selbst John, der staunend beim Kaminfeuer stand, es sich nicht besser hätte wünschen können.

Der Fremde blieb einen Augenblick an der Tür stehen.

»Guten Abend«, sagte er leicht zurückhaltend.

»Guten Abend«, erwiderte Mr Marble und fragte sich, wer um Himmels willen das war.

»Sie sind vermutlich mein Onkel William«, sagte der eben angekommene Besucher. »Ich habe nicht damit gerechnet, dass Sie mich kennen.«

»Nein, ich kenne Sie tatsächlich nicht.«

»Meine Mutter war Mrs Medland, Mrs Winnie Medland. Ihre Schwester, Sir, nicht wahr? Ich bin eben erst aus Melbourne eingetroffen.«

»Aber ja, natürlich. Du bist Winnies Junge! Komm doch herein – nein, zieh erst mal deinen Mantel aus. Annie schür das Kaminfeuer an. Winnie, räum die Sachen von dem Sessel da weg.«

Mr Marble führte seinen Gast angelegentlich auf den Flur hinaus. Seine Familie hörte, wie er ihm aus dem Mantel half, und dann ...

»Und wie geht's deiner Mutter?«

Die Frage wurde nicht sofort beantwortet. Der Trenchcoat und der Hut waren an der Garderobe abgelegt worden, und die beiden Männer hatten sich bereits wieder auf den Weg zurück ins Esszimmer gemacht, als die Zuhörer dort die zögerliche, fast geflüsterte Antwort vernahmen.

»Sie ist tot. Vor einem halben Jahr ... gestorben.«

Mr Marble murmelte immer noch die konventionell üblichen Beileidsbekundungen, als die beiden das Esszimmer betraten, wechselte jedoch, sobald es irgend möglich war, zu einer etwas linkischen Fröhlichkeit. Er war, um die Wahrheit zu sagen, nicht sonderlich interessiert an seiner Schwester Winnie, an die er in all den dreizehneinhalb Jahren, die vergangen waren, seit er seine Tochter auf ihren Namen hatte taufen lassen, vermutlich kein einziges Mal mehr gedacht hatte. Und außerdem ärgerte er sich auch ein wenig über diesen jungen Mann, der hier einfach so hereingeplatzt war und ihm seinen gemütlichen Abend vermasselte. Doch Mr Marble war kein Mann, der sich so etwas anmerken ließ. Feindseligkeit welcher Art auch immer – sogar die Feindseligkeit völlig Fremden gegenüber – war ein Gefühl, das es bei jeder Gelegenheit sorgfältig zu verbergen galt. Das war die Lehre aus einem Leben, das damit zugebracht worden war, die Anweisungen anderer Leute zu befolgen.

»Annie«, sagte Mr Marble, »dies ist unser junger Neffe Jim. Erinnerst du dich noch daran, wie er damals als kleiner Junge mit Winnie und Tom zusammen nach Australien aufgebrochen ist? Ich schon, glaube ich. Da hast du einen Matrosenanzug getragen, nicht wahr, äh … Jim. Seht nur, Winnie, John, jetzt habt ihr einen neuen Cousin, einen, von dem ihr noch nicht einmal etwas geahnt habt. Aber jetzt setz dich doch erst mal, setz dich, mein Junge, und erzähl uns all deine Neuigkeiten.«

»In diesen Sessel hier, Mr … äh, Jim, meine ich«, sagte Mrs Marble auf verlegene Art stotternd, weil sie einen so wohlhabend gekleideten und gut aussehenden Fremden auf so vertrauliche Weise ansprechen sollte. »Du musst doch ganz durchgefroren sein.«

Der eben angekommene Besucher war fast genauso schüchtern wie seine Gastgeberin, doch er ließ es geschehen, dass man ihn sanft in den besten Sessel des Hauses bugsierte – in eben jenen, nach dem Mr Marble sich den ganzen Abend gesehnt hatte –, während Mrs Marble ihr Hirn nach etwas durchforstete, über das man sich unterhalten könnte, und während die Kinder so nah wie möglich herandrängten, möglichst ohne dabei aus dem Hintergrund hervorzutreten.

Mr Marble eröffnete etwas schwerfällig das Gespräch.

»Wann bist du denn angekommen?«, fragte er.

»Erst heute Vormittag. Auf der ›Malina‹, die um zwölf in Tilbury angelegt hat. Eigentlich habe ich mir in London bislang nur ein Hotel gesucht und noch etwas gegessen, bevor ich hierhergekommen bin.«

»Aber woher wusstest du, dass wir hier wohnen?«

»Mutter hat mir eure Adresse genannt, ehe sie starb.« Das Stottern war verzeihlich. Der Junge war schließlich nicht älter als zwanzig. »Wir haben oft über diese Reise gesprochen. Sie wollte mich nämlich begleiten, wisst ihr. Australien hat ihr nie wirklich gefallen – ich weiß nicht warum –, und nachdem Vater gestorben war …«

»Tom ist auch tot? Wie furchtbar.«

»Ja. Er starb Anfang letzten Jahres. Und daran ist Mutter dann im Grunde –«

»Nur allzu verständlich«, warf Mrs Marble in mitfühlendem Singsang ein. Sie konnte es nicht ertragen, wenn vom Sterben die Rede war.

Mr Marble beeilte sich, das Gespräch auf interessantere Themen zu lenken.

»Und wie liefen die Geschäfte deines Vaters?«, fragte er.

»Oh, ziemlich gut. Er hat während des Krieges eine Menge Geld verdient. Obwohl er das eigentlich gar nicht wollte, aber es ergab sich einfach so, sagte er. Doch nach seinem Tod hat Mutter dann alles verkauft. Sie sagte, die große Reederei könne sie nicht ganz allein leiten, und ich war noch zu jung, und da man ihr einen guten Preis anbot, hat sie angenommen.«

»Dann bist du also ein junger Privatier, wie?«

»Das bin ich wohl. Ich habe gerade eben erst das College abgeschlossen, wisst ihr. An der Universität Melbourne. Und jetzt werde ich mich für den Anfang erst mal ein wenig umsehen in der Welt. Das hatte Mutter immer so geplant für mich.«

»Aber ja, völlig richtig so«, sagte Mr Marble mit der instinktiven Ehrerbietung dem unabhängig Reichen gegenüber, die ihm mittlerweile zwangsläufig zu einem Charakterzug geworden war.

Einen Augenblick lang stockte das Gespräch, und der noch immer etwas schüchterne junge Mann hatte Gelegenheit, sich ein wenig umzusehen. Dies waren die einzigen Verwandten, die er hatte auf der Welt, und er wollte das Beste daraus machen, auch wenn er, wie er sich eingestehen musste, nicht allzu begeistert war auf den ersten Blick. Das Zimmer war wirklich scheußlich. Die geblümte Tapete war bedeckt mit Fotografien und der schlimmsten Sorte Kupferstichen. Der Kaminsims aus unechtem Marmor war voll von schrecklichen Vasen, und von den beiden Sesseln war der eine mit Plüsch bezogen und der andere mit einem Chintz, der auf unselige Weise mit der Tapete kontrastierte. Die anderen Sitzmöbel waren einfache Holzstühle. Auf einem Tisch im Erkerfenster stand eine verstaubte Schusterpalme in einem enormen grünen Porzellanübertopf. Und in dem Sessel ihm gegenüber saß sein Onkel, in einem schäbigen blauen Anzug, der hier und dort deutliche Flecken aufwies. Er war ein kleiner Mann, mit dünnem rötlichem Haar und einem recht spärlichen Schnurrbart gleicher Farbe. In seinen matten blaugrauen Augen stand ein sorgenvoller Ausdruck – ein noch sorgenvollerer als jener, den er in den Augen des Mannes gesehen hatte, der ihm auf der Fahrt hierher im Bus gegenübergesessen hatte. Eine silberne Uhrkette zierte seine zerknitterte Weste, und seine Füße steckten in formlosen Filzpantoffeln, über denen Socken aus meliertem Garn halterlos um seine Knöchel fielen. Neben ihm auf einem der Holzstühle saß, duldsam und unbequem, seine Ehefrau, zerbrechlich und blass, und schäbig auch sie; das Bemerkenswerteste an ihr war noch ihre schief sitzende Brille mit dem Metallgestell. Die Kinder konnte er nur sehen, wenn er sich beim Umdrehen fast den Hals verrenkte. Die beiden waren zweifellos ansehnlicher. In den ausgeprägten Zügen des Mädchens, Winnie, zeichnete sich unbestreitbar das Versprechen guten Aussehens ab, wie sie so dasaß neben dem Esstisch mit den Händen im Schoß, und der Junge – John, nicht wahr? – war so ziemlich das Prachtexemplar eines Vierzehnjährigen. Dennoch, der junge Medland fühlte sich ganz und gar nicht wohl in seiner gegenwärtigen Situation. Sechs Wochen an Bord eines Erster-Klasse-Passagierschiffs als einziger unverheirateter Mann in der Altersgruppe zwischen fünfzehn und fünfzig, das ist nicht gerade die beste Vorbereitung auf das Leben in einem ärmlichen Londoner Vorstadthaushalt. Medland hatte plötzlich das Bedürfnis, an etwas anderes zu denken.

»Darf ich rauchen?«, fragte er.

»Aber ja, natürlich«, sagte Mr Marble, der sich auf einmal an seine Pflichten als Gastgeber erinnerte.

Mr Marble griff in seine Hosentasche und fischte nach dem zerknitterten gelben Päckchen Zigaretten, das dort steckte. Es waren noch drei Zigaretten darin, das wusste er, und die hatte er extra aufbewahrt, um sie später am Abend selbst zu rauchen. Er ließ sich solange wie möglich Zeit damit, sie hervorzuholen, und hatte Erfolg mit seiner Taktik. Medland hielt bereits sein Zigarettenetui in der Hand und bot ihm daraus an.

Es war ein ledernes Etui, das Abschiedsgeschenk einer der Frauen mittleren Alters auf dem Schiff. Frauen machen sich nie klar, dass ein Lederetui die Zigaretten verdirbt. Doch dies war sehr viel mehr als ein Zigarettenetui. Es war eine richtiggehende Brieftasche, mit Fächern für Briefmarken und Visitenkarten, und an der Rückseite mit einem aufgrund der Art, wie Medland es hielt, in diesem Moment aufklaffenden Fach für Geld. Und dieses war gefüllt. Marble sah, als ihm das Etui hingehalten wurde, ein dickes Bündel Staatsnoten, jene vom Finanzministerium seit 1914 ausgegebenen Ein-Pfund- und Zehn-Shilling-Scheine, mindestens zwanzig Pfund, vielleicht sogar dreißig, schätzte Marble mit dem geübten Auge des Bankangestellten. Und daneben steckte noch ein weiteres Bündel, Banknoten diesmal – Fünf-Pfund-Scheine höchstwahrscheinlich. Ein Anblick, der den armen Mr Marble geradezu blendete. Und doch auch ein Anblick, der einen Hoffnungsstrahl in die düsteren Kammern der stummen Verzweiflung seiner Seele sandte. Es wäre einfach nicht zu ertragen gewesen, darüber keine Bemerkung zu machen.

»Was für ein hübsches Etui«, sagte Mr Marble und hielt seinem Gast ein brennendes Streichholz hin.

»Ja.« Medland zog kräftig an seiner Zigarette, damit sie auch wirklich gut brannte. »Es war ein Geschenk«, fügte er dann bescheiden hinzu und hielt es seinem Onkel hin, damit er es besser betrachten konnte.

Die Banknoten blitzten noch einmal vor Marbles geplagten Augen auf.

»Und auch so gut ausgestattet«, sagte Marble, bemüht darum, keinen Neid in seinem Ton anklingen zu lassen.

»Ja, die habe ich in Port Said gekauft – oh, du meinst die Geldscheine?« Medland tat sein Bestes, um sich seine Überraschung über diese Taktlosigkeit seines Onkels nicht anmerken zu lassen. Und aus eben diesem Grund ging er sogar noch mit einer weiteren Erklärung darauf ein. »Ich musste mir gleich nach Ankunft in London einen meiner Kreditbriefe auszahlen lassen. Nach der Reise stand ich ohne einen roten Heller da, so ziemlich jedenfalls, denn ich hatte natürlich noch australisches Geld.«

Es waren nur ganz beiläufig dahingesagte Worte, doch sie reichten aus, um Mr Marbles Gedanken in wilden Aufruhr zu versetzen. Dieser Junge war gerade rechtzeitig gekommen, um ihn zu retten. Er würde seinem eben erst wiedergefundenen Onkel doch bestimmt ein Darlehen nicht verweigern? Diese Staatsnoten da würden ihn retten, von den Banknoten ganz zu schweigen. Und ein Darlehen von einem Neffen war doch auch gleich etwas ganz anderes als seine Schulden bei diesem Teufel Evans, der sofort die Gerichtsvollzieher einschalten würde. Ein solches Darlehen gehörte ja noch nicht einmal in dieselbe Kategorie wie seine Schulden bei den Männern aus der Bank, denen er so viel hatte zurückzahlen müssen, dass sie sich nicht bei den Vorgesetzten beschwerten, was sein ganzes Monatsgehalt aufgefressen hatte. Und diesen Gedanken auf dem Fuße folgte die entsetzliche Erkenntnis, in welch brandgefährlicher Situation er steckte. Heute war erst der dritte des Monats, und er hatte alles in allem nur noch zehn Shilling, um bis zur nächsten Gehaltszahlung seine Kreditgeber hinzuhalten und seine Familie zu versorgen. Bislang hatte er mit all der geringen Entschlusskraft, die er besaß, die Augen vor dieser Situation verschlossen. Doch jetzt, da sich die Möglichkeit einer Rettung ergab, drängte sich ihm die Gefahr, in der er sich befand, geradezu auf, sodass ihn unwillkürlich ein wenig schauderte und das Herz ihm heftig in der Brust klopfte. Unwillkürlich warf er einen Blick zur Anrichte hinüber, in der die Karaffe stand. Aber er riss sich zusammen. Er würde nicht aus freien Stücken einen seiner letzten drei – oder waren es vier? – Drinks an diesen Jungen verschwenden. Entschlossen verwarf er den Gedanken an den Whisky und drehte sich wieder herum, um vorsichtig bei seinem Neffen vorzufühlen.

»Hattest du Schwierigkeiten, den Weg hierher zu finden?«, fragte er – die Frage, die allen bei ihrem ersten Besuch in der Vorstadt unweigerlich gestellt wird.

»Oh nein«, erwiderte Medland. »Ich hatte ja eure Adresse, Mutter hatte sie mir vor ihrem Tod aus euren alten Briefen herausgesucht. Ich wusste also, dass es Dulwich war, und am Trafalgar Square sah ich Dutzende von Bussen, die alle nach Dulwich gingen. Also bin ich in einen eingestiegen und bis zur Endstation gefahren. Und danach war's ganz einfach. Gleich der Erste, den ich gefragt habe, konnte mir den Weg zur Malcolm Road beschreiben.«

»Wie schön. Und wo, sagtest du gleich wieder, bist du abgestiegen?«

Medland hatte gar nicht erwähnt, wo genau er abgestiegen

war, doch er erzählte es ihm. Es war ein gediegenes Hotel am Strand. Und es war just in diesem Moment und in diesem Zusammenhang, dass Medland die Bemerkung machte, die alles verändern sollte.

»Schon komisch, wenn man's recht bedenkt«, sagte er in dem Bemühen, das Gespräch aufrechtzuerhalten, »aber außer euch gibt's keine Menschenseele in England, die irgendetwas von mir weiß. Ich glaube, ich war nicht mal eine Stunde lang in dem Hotel, und ich habe auch nur mein Handgepäck dort gelassen. Meine restlichen Koffer sind noch am Bahnhof Euston. Weil ich zur Bank musste und so weiter, hatte ich einfach keine Zeit, sie abzuholen, selbst wenn sie schon da gewesen wären. Und auf dem Weg hierher kam mir der Gedanke, dass niemand mich vermissen würde, wenn ich den Weg zurück nicht mehr finden und verloren gehen würde – außer euch, natürlich.«

»Hm!«, machte Mr Marble, dem in demselben Augenblick ein weiterer Gedanke kam, und ihn schauderte erneut.

Medlands Schüchternheit wandelte sich langsam in eine jungenhafte Redseligkeit. Er drehte sich nach den beiden Kindern um.

»Na«, sagte er lächelnd, »ihr beiden scheint ja nicht allzu viel zu erzählen zu haben.«

Winnie und John blieben immer noch schweigsam. Sie waren die ganze Zeit mucksmäuschenstill gewesen, um nur ja keine Aufmerksamkeit auf sich zu lenken und damit erneut die aufgeschobene Frage nach ihrem Zubettgehen aufkommen zu lassen. Doch abgesehen davon war John voll der glühendsten Bewunderung für diesen wettergegerbten Mann, der den weiten Weg von Australien hierhergekommen war und diese unglaubliche Reise durch von Piraten heimgesuchte Meere mit einer solchen Sorglosigkeit hinnahm, dass er noch kein einziges Wort darüber verloren hatte. Und auch von Hotels sprach er ganz beiläufig. John war im letzten Jahr in Worthing aufgefallen, mit welcher Ehrfurcht in der Stimme sein Vater von den Leuten gesprochen hatte, die in Hotels wohnten, im Gegensatz zu denen, die sich nur ein Zimmer, und sei es sogar in einer Pension, leisten konnten. Und dieser Mann stieg in einem Hotel ab und tat so, als wäre das gar nichts!

Und Winnie fand, dass er der schönste Mann war, den sie jemals gesehen hatte. Sein freundliches braun gebranntes Gesicht und sein brauner Tweedanzug, von dem ein betörender Duft ausging, waren einfach wundervoll. Und wenn er sie direkt ansah und lächelte, so wie er es eben getan hatte, sah er noch besser aus als irgendjemand, den sie sich vorstellen konnte, noch viel besser sogar als der Märchenprinz im Weihnachtsspiel.

»Nun sagt schon was, Kinder«, forderte ihr Vater sie auf. Was in Medlands feinem Ohr klang, als könnte er jeden Augenblick noch hinzufügen: »Sagt dem netten Gentleman die Zukunft voraus.«

Die Kinder lächelten schüchtern. Winnie konnte nichts herausbringen. Doch John bemühte sich nach Kräften, ungeübt wie er war im Gespräch dank der strengen Zurechtweisungen durch seinen Vater, wenn dieser in der letzten Zeit wieder einmal eine seiner seltsamen Launen gehabt hatte.

»In Australien gibt's doch Kängurus, oder?«, fragte er, sich wie ein typisch Vierzehnjähriger windend.

»Das stimmt«, antwortete Medland. »Ich habe sogar schon mal Jagd auf sie gemacht.«

»Ooh«, stieß John hingerissen aus. »Auf einem Pferd?«

»Ja, Meilen um Meilen quer durchs Land, so weit unsere Pferde galoppieren konnten. Irgendwann erzähle ich dir das mal ganz genau.«

Die beiden Kinder rutschten vor Begeisterung auf ihren Stühlen herum.

»Und Bushranger doch auch?«, fuhr John fort. »Hast ... hast du Ned Kelly schon mal gesehen?«

Es sprach sehr für Medland, dass er nicht in Gelächter ausbrach, denn der berühmt-berüchtigte Kelly war bereits seit 1880 tot.

»Schön wär's«, erwiderte er. »Da, wo ich gewohnt habe, gab's leider nicht so viele. Aber ich kenne ein famoses Buch über sie.«

»›Die Reiter vom Teufelsgrund‹«, sagten beide Kinder wie aus einem Munde.

»Oh, habt ihr das gelesen?«

»Gelesen? Verschlungen!« Das war Mr Marbles Beitrag zum Gespräch. »Diese Kinder sind die reinsten Leseratten. Man sieht sie nie ohne ein Buch in der Hand.«

»Wunderbar«, sagte Medland.

Doch nach dieser Unterbrechung versandete das Gespräch und war nicht mehr zu retten. Und Marble, der Medland ohnehin für sich allein haben wollte, warf den Kindern einen Blick zu und deutete mit einer Kopfbewegung himmelwärts. Sie verstanden und kletterten betrübt von ihren Stühlen.

»Oh, schon Zeit fürs Bett, Kinder?«, sagte Mr Marble in einem überraschten Tonfall, mit dem er Medland jedoch nicht wie beabsichtigt täuschen konnte, weil dieser Marbles Zeichen im letzten Moment selbst noch wahrgenommen hatte. »Dann gute Nacht. Wie, wollt ihr mir etwa keinen Kuss geben?«

Das hatten sie durchaus nicht vorgehabt. Dieser Brauch war schon vor Monaten aufgegeben worden, als Marble damit begonnen hatte, sich zur Ablenkung von seinen Sorgen der Karaffe aus der Anrichte zuzuwenden, und wenn ein Brauch erst einmal drei Monate lang nicht mehr existierte, war das für Kinder gerade so, als hätte er niemals existiert. Und außerdem war John auch beinah schon zu alt für Küsse dieser Art. Sowohl John als auch Winnie gaben ihrem Vater recht verlegen und ihrer Mutter wie nebenbei einen Kuss. Dann schüttelte John seinem neuen Cousin die Hand. Es war das erste Mal, dass er einem anderen die Hand schüttelte, von Mann zu Mann, einander fest in die Augen blickend, genau so wie Männer es taten, und er war sehr stolz darauf. Auch Winnie versuchte, ihren Bruder nachahmend, ihm die Hand zu schütteln, doch da war etwas in Medlands Lächeln und in der sanften Geste, mit der er ihre Hand an sich zog, dass sie sich unwillkürlich vorbeugte und den jungenhaften Mund küsste, der ihr hingehalten wurde. Es fühlte sich komisch an, ganz anders als all die anderen Küsse, die sie kannte. Es war ein sehr stilles Paar, das schließlich die Treppe hinauf ins Bett ging.

Marble wandte sich mit unverkennbarer Erleichterung um, als die beiden die Tür hinter sich geschlossen hatten.

»Jetzt können wir es uns gemütlich machen. Zieh deinen Sessel dichter ans Kaminfeuer heran, äh ... Jim«, sagte er und fügte hinzu: »Was für ein Abend«, als der Wind draußen aufheulte.

Medland nickte verdrossen, denn er war peinlich berührt. Er fühlte sich gar nicht wohl in der Gesellschaft dieser fremden Leute. Ihm gefiel die Art nicht, wie Marble mit seinen Kindern umging. Die Kinder waren nämlich sehr nett, und die Mutter, nun ja, ein Niemand. Doch in diesem Haus herrschte eine Atmosphäre, die ihn abstieß. Er riss sich zusammen und versuchte, die warnende Stimmung, die auf ihm lastete, abzuschütteln. Denn das war natürlich absurd. Der alte Marble war doch nur ein ganz gewöhnlicher Kerl. Heruntergekommen und schäbig, aber im Grunde doch in Ordnung. Jetzt hatte er so ein aalglattes Lächeln aufgesetzt, na gut, aber das musste nicht unbedingt etwas bedeuten. Ach, zum Henker. Wenn es ihm in diesem Haus nicht gefiel, konnte er doch in ein paar Minuten aufbrechen und nie wieder zurückkehren. Und was das betraf, schweiften Medlands Gedanken gleich noch weiter ins völlig Absurde – er könnte am nächsten Morgen einfach das Hotel wechseln, und dann würden sie ihn nie wieder auffinden können. Diese Vorstellung allein schon reichte aus, um seine Gedanken in die Realität zurückzuholen. Es gab keinen Grund, warum er über derlei überhaupt nachdenken sollte. Die Kinder waren doch reizend, und er würde sie während seines Aufenthalts hier in England bestimmt häufiger sehen. Er könnte sie an viele der Orte mitnehmen, die er meinte sich ansehen zu müssen, zum Tower von London und zur St Paul's Cathedral, zum Beispiel. Das wäre doch fabelhaft.

Mr Marble sprach mit seiner Ehefrau.

»Wie sieht's denn mit Abendessen aus, Annie?«, fragte er soeben. »Ich nehme an, unser Freund hier ist hungrig.«

»Aber ...«, begann Mrs Marble verzweifelt, hielt jedoch rasch unbeholfen an sich, als sie den stirnrunzelnden Blick ihres Ehemannes wahrnahm.

»Macht meinetwegen bitte keine Umstände«, warf Medland ein. »Ich habe gegessen, kurz bevor ich hier herausgefahren bin.«

»Dann ist ja alles in bester Ordnung«, erwiderte Marble. »Ich habe gegessen, kurz nachdem ich hier hereingekommen bin.«

Und er lachte. Aber es war ein Lachen, das doch ein wenig zu angestrengt wirkte.

Das Gespräch wurde auf dieselbe unbeholfene, halbherzige Weise wieder aufgenommen, und Medland fragte sich, so wie gelangweilte junge Männer es manchmal tun, warum um Himmels willen er nicht einfach aufstand und sofort ging. Dafür gab es einige gewichtige Gründe. Einer war, dass der Wind und der Regen draußen weiter unüberhörbar tobten; ein anderer, dass das Kaminfeuer so ungemein anziehend war – es war überhaupt das Anziehendste in diesem ganzen Haus –, doch tief in seinem Inneren empfand er vor allem Erleichterung darüber, dass er nicht in einem Hotel herumsaß, ohne etwas Bestimmtes vorzuhaben. Medland hatte bei seiner Ankunft in England alle möglichen Pläne für eine sehr aufregende Zeit gehabt, doch im Moment empfand er ein wenig Heimweh und war nicht in der Stimmung für Aufregungen irgendwelcher Art. Aber das wäre vermutlich ganz genauso gewesen, wenn seine Gefühlslage eine andere gewesen wäre.

Mrs Marble warf hin und wieder ebenfalls ein Wort ein. Sie stellte ihm schlichte Fragen wie etwa, ob er auf der Reise seekrank gewesen sei, und ob er genug zu essen bekommen habe, und ob seine Kleidung auch warm genug sei für einen Winter in England. Medland antwortete stets höflich, doch Marble fuhr sie mehr als einmal regelrecht grob an. Medland begann den kleinen Mann neugierig zu mustern. Sein Gesicht glänzte leicht feucht, und seine Augen wirkten heller als zuvor, so als würde er sich über etwas freuen, von dem die anderen nichts wussten. Immer wieder schnitt er seiner Ehefrau das Wort ab, und seine Fragen wurden von Mal zu Mal persönlicher. Medland wusste wohl, dass ein Gespräch für einen Menschen von Marbles Art oft nur aus einer Aneinanderreihung von Fragen bestand, doch selbst das war keine Entschuldigung für dieses forschende Kreuzverhör, was sein Vermögen, seine Freunde und seine Kenntnisse von der Welt im Allgemeinen anging.

Armer Marble! Und armer Medland! Marble litt mehr und mehr unter der Erkenntnis seiner Situation, was sich durch den neidvollen Vergleich mit der Medlands noch verstärkte, während ihm jede von Medlands Antworten darauf abzuzielen schien, ihn anzutreiben zu – etwas. Marble war sich nicht ganz sicher, was das war. Es konnte nicht nur darum gehen, sich Geld zu leihen; das zu wagen hatte er doch schon vor Stunden beschlossen. Das klopfende Herz in seiner Brust schien auf etwas Ungewöhnlicheres als das hinzudeuten. Und Marble bereitete sich seelisch darauf vor, entschlossen zu handeln – zum ersten Mal in seinem Leben, wie angemerkt sei.

Mit der List des Schwachen tat er sein Bestes, um seinen gegenwärtigen Zustand zu verschleiern, während seine Gedanken sich die ganze Zeit verstohlen, und ohne ein bewusstes Wollen seinerseits, herumschlängelten, um das Vorgehen auszuklügeln, zu dem er wahrscheinlich greifen würde. Kein Wunder, dass Medland ihn gelegentlich merkwürdig ansah.

Die Zeit schien außergewöhnlich rasch zu vergehen. Marble kam es vor, als wäre jedes Mal, wenn er auf die billige Uhr auf dem Kaminsims sah, eine weitere halbe Stunde verflogen. Zweimal schon hatte er in Medlands Verhalten Anzeichen von Aufbruch bemerkt, sobald das Gespräch abbrach, und jedes Mal hatte er sich in die Bresche geworfen und, wie ihm schmerzlich bewusst war, unsinniges Zeug dahergeredet, um die kritische Situation abzuwenden, die eintreten würde, wenn es dazu käme.

Sein fieberhaft arbeitender Geist raffte sich zu einer zusätzlichen Anstrengung auf. Marble stellte sich darauf ein, das Opfer bringen zu müssen, das, wie ihm jetzt klar wurde, unausweichlich war, und gab sich so unauffällig wie irgend möglich in seinem Sessel einen Ruck.

»Wie wär's mit einem Drink?«, sagte er. Und er brachte die Frage so derart gelassen hervor, dass Medland nicht ahnte, welche Überwindung es ihn gekostet hatte, sie zu stellen.

Medland zögerte, bevor er antwortete; er war noch nicht Mann von Welt genug, um das Angebot eines Drinks als etwas völlig Normales zu betrachten; und während dieses kurzen Zögerns war Marble aufgestanden und am Esstisch vorbei zur Anrichte hinübergegangen. Einen Moment lang war er nicht mehr zu sehen, da er sich unter die Tischhöhe hinabbeugte; und als er wieder auftauchte, hatte er eine – halb volle – Siphonflasche mit Sodawasser unter dem Arm, zwei Tumbler in der einen Hand und in der anderen eine sehr sorgsam festgehaltene Karaffe mit Whisky, die noch zu einem Viertel voll war. Diese Dinge stellte er auf den Beistelltisch in der Nähe seines Sessels; und da er sehr dicht neben seiner Ehefrau stand, als er dies tat, nutzte er die Gelegenheit, ihr etwas zuzumurmeln. Er sprach schnell und verstohlen, so verstohlen, dass Medland die Sache selbst zwar mitbekam, die Worte aber nicht verstehen konnte und sie als einen Hinweis auf irgendeine häusliche Angelegenheit auffasste – vielleicht eine Bemerkung über die knappe Menge an Whisky. Was Marble wirklich gesagt hatte, war jedoch: »Hab Geschäftliches zu besprechen. Geh zu Bett. Sag, du hast Kopfschmerzen.«

Annie Marble hörte zunächst nur die Worte, bis sie ihnen schließlich auch eine Bedeutung beimessen konnte. Das war nicht ungewöhnlich. Und selbst als ihr die Bedeutung klar geworden war, die sie für recht nichtssagend hielt, handelte sie nicht sofort danach. Es dauerte immer einige Zeit, bis sie ihre Fähigkeiten koordiniert hatte und von dem einen Vorgehen zu einem anderen wechseln konnte.

Marble goss mit großer Besonnenheit einen Drink ein. Keinen allzu großzügigen, denn er stand vor dem Problem, seinem Gast so viel wie möglich anzubieten und zugleich auch sich selbst genug einzuschenken, damit zumindest der Schein gewahrt blieb; und seine ganze Seele schrie nach diesem Whisky. Seine Hand zitterte etwas beim Einschenken, sodass die Karaffe leicht an den Rand des Tumblers stieß, aber mit einer letzten verzweifelten Anstrengung bekam er seine Nervosität in den Griff und brachte die Sache zu Ende, ohne seinen Gast hinsichtlich der Menge auch nur auf die gesellschaftlich übliche Weise konsultiert zu haben. Dann setzte er sich wieder in seinen Sessel, halb gequält, halb zufrieden. Das Einschenken war ihm perfekt gelungen, sagte er sich. Er hatte Medland ordentlich versorgt, und in der Karaffe war eine anständige Menge verblieben. Leicht noch genug für zwei weitere Drinks jedenfalls, und der halb ausgegorene Plan in Marbles Kopf erforderte es, dass noch genug für zwei weitere Drinks in der Karaffe war. Doch es fiel ihm furchtbar schwer, nur beiläufig an dem kühlen Tumbler in seiner Hand zu nippen. Am liebsten hätte er diesen Drink in einem Zug hinuntergekippt, aber er konnte es sich nur erlauben, Medland gelassen zuzunicken, einen kleinen Schluck zu nehmen und das Glas dann gleichgültig wieder neben sich abzustellen. Doch selbst diese kleine Menge reichte schon aus, um seine angespannten Nerven zu beruhigen, sodass sein zitternder Körper zu einer genauso ruhigen, distanzierten Haltung fand wie sein ränkeschmiedender, unkontrollierter Geist.

Als er das Glas wieder abstellte, stand Annie Marble auf. Sie kannte die Rolle, die sie spielen musste, und dank irgendeines seltsamen Anflugs innerer Gelassenheit machte sie ihre Sache vorzüglich. Ihr beschränkter Geist hatte die grauenvolle Gefahr, in der ihr Ehemann und sie finanziell schwebten, nie voll erfasst; Marble hätte sagen können, was er wollte – und er sagte nur wenig –, sie hätte es doch nicht begriffen, solange sie in den Geschäften anschreiben lassen konnte; aber sie wusste, dass sie in Schwierigkeiten steckten und Marble es darauf angelegt hatte, dass dieser junge Neffe ihnen half. Es gehörte sich also für sie, ihr Bestes zu tun; ganz zu schweigen davon, dass ihre kaum ausgeprägte Persönlichkeit ohnehin auch mit der geringsten ihrer Handlungen noch auf jede Laune ihres Ehemannes ganz so reagierte, wie er es wünschte.

»Ich glaube, ich gehe zu Bett, Will«, sagte sie, als sie etwas erschöpft von ihrem unbequemen Holzstuhl aufstand. »Ich habe ein wenig Kopfschmerzen.«

Mr Marble war außerordentlich besorgt.

»Wirklich, meine Liebe?«, sagte er und stand auch selbst auf. »Wie schade. Möchtest du noch einen Schlummertrunk?«, fragte er und nickte zu der Karaffe hinüber.

Doch selbst bei diesem Nicken, das Gesicht von Medland abgewandt, zeichnete sich ein Runzeln auf seiner Stirn ab, das Mrs Marble ihr Stichwort gab.

»Nein, Schatz, danke«, erwiderte sie, »ich gehe lieber gleich hinauf, dann wird es morgen schon wieder besser sein.«

»Wie du möchtest«, sagte Mr Marble.

Mrs Marble bewegte sich auf Medland zu.

»Gute Nacht, äh ... Jim«, sagte sie und schüttelte ihm die Hand.

»Gute Nacht. Ich hoffe, dass es morgen wirklich wieder besser ist.«

»Gute Nacht, meine Liebe«, sagte Mr Marble. »Ich werde dich nach Möglichkeit nicht stören, wenn ich hinaufkomme. Aber es wird wohl ein wenig später werden.«

Er drückte ihr einen Kuss auf die kühle Wange – ein recht typischer Kuss unter Eheleuten. Doch es entsprach ganz und gar nicht der Gewohnheit von Mr Marble, seiner Frau einen Gutenachtkuss zu geben, und er machte sich sonst auch nie die geringsten Gedanken darüber, ob er sie stören könnte, wenn er zu Bett ging. Doch es verlieh der Szene eben jene behagliche häusliche Atmosphäre, die Mr Marbles Unterbewusstsein, das ihn vollkommen im Griff hatte, für unabdingbar hielt in dieser Situation.

Mrs Marble war gegangen, und sie hörten ihre schlurfenden Schritte auf dem Fußboden des Zimmers über ihnen.

»Es besteht doch sicher kein Grund zur Eile, nehme ich an, schließlich bist du ein fröhlicher Junggeselle«, sagte Mr Marble.

»Ganz und gar nicht«, erwiderte Medland und bedauerte die Worte schon in dem Augenblick, als er sie ausgesprochen hatte. Er hatte wirklich keinerlei Bedürfnis mehr, sich noch länger auf unabsehbare Zeit zu langweilen. Doch seine Antwort hatte ihn zumindest zu einer weiteren halben Stunde verdonnert, und er bemühte sich, sich damit abzufinden.

Für eine kurze Zeit erlangte Mr Marble noch einmal die vollständige Kontrolle über sich selbst und führte einen kurzen, aber vergeblichen Kampf gegen das Unausweichliche, das eine stärkere Kraft in seinem Inneren ihm aufzwang. Er begann wieder über Medlands Geld zu sprechen – das Thema, bei dem sein Mangel an taktvoller Zurückhaltung seinen Gast schon einmal verärgert hatte.

»Dann bist du also ein recht wohlhabender junger Mann, wie's aussieht?«, sagte er mit nervtötender Jovialität.

»Vermutlich«, lautete die knappe Antwort.

»Da bleibt sicher auch ein Gutteil für Kapitalanlagen übrig, nehme ich an?«

Es war eine äußerst ungeschickte Art, es zu formulieren, und führte ins Leere. Selbst auf der Überfahrt waren mehr als nur ein Mann mit einem dieser Pläne zum schnellen Geldverdienen auf Medland zugekommen, doch er hatte es verstanden, sie zu durchschauen. Und es hatten sich schon so viele Leute Geld von ihm geliehen, dass das Vorgehen ihm ebenso vertraut wie lästig war. Medland war entschlossen, diesen Versuchen ein für alle Mal einen Riegel vorzuschieben. Es wäre vielleicht einen Augenblick lang peinlich, aber es würde ihm zukünftig eine Menge Ärger ersparen. Er blickte Marble direkt in die Augen.

»Nein«, sagte er, »ich habe kein Geld für Kapitalanlagen. Ich bin ziemlich zufrieden mit den Regelungen, die mein Vater vor seinem Tod getroffen hat. Ich habe gerade genug zum Leben, mehr aber auch nicht. Und damit komme ich gut zurecht.«

Das erledigte die Sache eindeutig genug für jeden, doch zu Medlands Überraschung ließ Marble kein Anzeichen von Unbehagen erkennen. Medland wusste es nicht, doch mit einem Mal hatte die lauernde Macht im Innern seines Onkels diesen wieder in Besitz genommen und sofort begonnen, den Pfad des Unausweichlichen für ihn zu ebnen.

»Ganz richtig so«, sagte Marble, und die Art, wie er es sagte, ließ Medland ernsthaft zweifeln, ob sein Onkel mit der vorherigen Frage wirklich auf ein Darlehen angespielt hatte. »Der Börsenmarkt ist zurzeit in einem furchtbaren Zustand. Ich würde im Augenblick auf keinen Fall kaufen, nicht einmal mündelsichere Papiere. Abwarten und sich an das halten, was man hat, lautet mein Motto in diesen Tagen.«

Das sagte er in allem Ernst, und Medland spürte, wie er ihm wieder sympathischer wurde. Denn Medland lief gerade ernsthaft Gefahr, der Täuschung aufzusitzen, die Männer von Vermögen, die dieses Vermögen von Jugend auf besessen haben und zu oft von Skrupellosen »ausgenommen« worden sind, so häufig befällt – er lief Gefahr zu glauben, dass jeder, den er kennenlernte, auf seine Kosten einen Gewinn machen wollte. Der sicherste Weg in sein Herz war, ihn vom Gegenteil zu überzeugen, und das war Mr Marble in diesen wenigen Minuten beinah schon gelungen.

Das Gespräch wandte sich unversehens einer Diskussion des Markts für Kapitalanlagen zu, und das ohne die persönliche Note, an der Medland so sehr Anstoß nahm. Irgendwo tief in seinem Inneren besaß Marble ein Geschick für Finanzen, das bisher nicht hatte zur Geltung kommen können, nicht zuletzt, weil er zu träge gewesen war. Medland mit seinem klaren Blick fürs Geschäftliche, den er von seinem als Schiffsmakler tätigen Vater geerbt hatte, erkannte einen überraschend verwandten Geist. Zum ersten Mal an diesem Abend begann er sich wohlzufühlen. Er leerte sein Glas, fast ohne einen Gedanken daran zu verschwenden – seine Begeisterung ließ ihn sogar erfolgreich seine jugendliche Abneigung gegen den Whisky überwinden, denn er hatte es nie dahin gebracht, dass er ihm schmeckte.

Marble betrachtete ihn mit grimmiger Entschlossenheit aus zusammengekniffenen Augen. Medland nahm das kaum wahr oder maß dem, falls er es tat, keine Bedeutung bei. Dann erhob Marble sich aus seinem Sessel, das Glas in der Hand, und wandte sich der Karaffe zu. Sein albernes Herz klopfte schon wieder, klopfte heftig, doch das beeinträchtigte nicht sein Tun. Dieses war vollkommen kontrolliert – kontrolliert von jenen inneren Kräften, die das Kommando über ihn übernommen und das Unvermeidliche erkannt hatten.

Marble langte zu Medland hinüber und nahm ihm sein Glas aus der Hand. »Es ist nur noch ein Drink für jeden da«, sagte Marble. »Tut mir leid, aber wir haben heute Abend keinen Besuch erwartet, weißt du.«

Und das sagte er auf eine so natürliche Art, dass Medland keine Gelegenheit hatte, auch nur zu versuchen, den zweiten Drink abzulehnen. Untätig sah Medland zu, wie Marble den Whisky mit derselben peniblen Sorgfalt, die sein Hantieren auch vorhin schon ausgezeichnet hatte, aus der Karaffe in die

Gläser goss. Die Flüssigkeit war zu gleichen Teilen aufgeteilt auf die zwei Tumbler, und Marble wollte eben aus der Siphonflasche den Rest des Sodawassers dazugeben, als er innehielt und lauschte.

»Einen Moment, bitte«, sagte er. »Ich glaube, eins der Kinder ruft.«

Medland hatte nichts gehört, doch er war mit den Geräuschen des Hauses nicht vertraut und fragte deshalb nicht nach. Mr Marble hatte auch nichts gehört. Das, was er da gesagt hatte, war nur ein Vorwand, damit er das Zimmer verlassen und nach oben hinaufgehen konnte. Es war das Natürlichste auf der Welt für ihn, aus dem Zimmer zu schleichen und zu horchen, ob eins der Kinder Angst hatte, und es war ebenso natürlich, dass er in der Hand den Tumbler hielt, den er in eben jenem Augenblick in der Hand gehalten hatte, als seine Aufmerksamkeit abgelenkt wurde. Medland sah ihn gehen; das alles wirkte so natürlich, dass er keinen weiteren Gedanken daran verschwendete.

Kaum eine Minute später kam Marble auf Zehenspitzen die Treppe wieder herunter und trat, den Tumbler immer noch in der Hand, wieder ins Zimmer.

»Falscher Alarm«, sagte er. »Man gewöhnt sich an solche Dinge, wenn man Familienvater ist.«

Und jetzt wandte er sich erneut der Siphonflasche zu und spritzte mit einem Zischen Sodawasser in die Tumbler. Dann reichte er Medland sein Glas. Als dieser es entgegennahm, heulte der Wind draußen wieder auf, noch lauter als zuvor; die Fenster klapperten, und sie hörten, wie der Regen gegen die Scheiben prasselte.

»Was für ein Abend«, sagte Medland.

»Lass uns darauf trinken«, erwiderte Marble sehr, sehr ruhig.

2

Als Annie Marble am frühen Morgen aufwachte, litt sie unter Kopfschmerzen – echten Kopfschmerzen diesmal. Sie hatte eine ruhelose Nacht gehabt, obwohl ihr Ehemann sie erstaunlicherweise, ganz wie versprochen, nicht gestört hatte, als er heraufkam. In diesem Augenblick schlief er tief und fest neben ihr. Sie drehte sich im Bett herum und sah ihn in dem schummrigen Licht an, das durch die schmutzigen Fensterläden hereinfiel. Er lag auf dem Rücken da, sein dünnes Haar in alle Richtungen abstehend, mit geschlossenen Augen und offenem Mund, und sein dürftiger rötlicher Schnurrbart wurde jetzt verstärkt von einem stoppeligen, doch spärlichen Bartwuchs. Er hielt die Bettdecke mit den Händen fest, und sein Atem ging mit einem rasselnden Geräusch durch den Mund hinein und wieder hinaus. Für die meisten Menschen wäre er ein unschöner Anblick gewesen, doch nicht für Annie Marble. Sie war ohnehin gewöhnt daran, und seine jetzige hilflose Lage und Erscheinung weckte stets ein mütterliches Gefühl in ihr, inzwischen fast das Einzige, was sie für gewöhnlich empfand. Sie hätte ihn am liebsten in die Arme genommen und ein wenig gehalten, doch das würde sie aus Angst, ihn zu stören, nicht tun.

Stattdessen begann sie sich zu fragen, ob er wohl Erfolg gehabt hatte damit, das Gespräch mit diesem fremden Neffen gestern Abend in eine bestimmte Richtung zu lenken. Sie hoffte es. Sie wusste, dass er sich in der letzten Zeit Sorgen um Geld gemacht hatte; er hatte es hin und wieder erwähnt. Und er hatte den Betrag, den er ihr üblicherweise gab, gekürzt. Was nicht allzu schlimm war, denn Mr Evans und der Milchmann und die anderen waren alle sehr kulant. Aber er hatte sich wirklich Sorgen gemacht deswegen, das wusste sie. Deshalb hoffte sie, dass der Neffe – sie war überzeugt, dass sie es nie lernen würde, einen so famosen jungen Mann einfach nur »Jim« zu nennen – etwas für sie getan hatte. So musste es wohl gewesen sein, lang genug war er ja geblieben. Sie hatte die beiden noch lange nachdem sie sich zu Bett gelegt hatte miteinander reden hören. Die Erinnerung daran brachte mit einem Mal auch andere, recht vage Erinnerungen zurück. Will war heraufgekommen, als sie schon fast eingeschlafen war. Und sie wusste noch, dass sie sich gefragt hatte, warum er wohl nach oben kam. Er war ins Badezimmer gegangen; und dann hatte sie seine Schlüssel klimpern hören, als er, so vermutete sie, das Schränkchen mit seinen fotografischen Utensilien aufschloss. Wohl um etwas herauszuholen, das er Jim zeigen wollte. Aber ja, diesmal hatte sie es gleich verstanden. Jim musste auch an Fotografie interessiert sein.

Eine Weile lang folgten ihre konfusen Gedanken keiner klaren Linie. Dann kam sie wieder auf den letzten Abend zurück. Wenn Jim an Fotografie interessiert war, musste er etwas für Will getan haben – in Annies Vorstellung wurde alles für jeden von irgendeinem andern getan. Und sie musste geträumt haben, als sie meinte, diesen lauten Schrei gehört zu haben. Gleich darauf war sie wach gewesen, das wusste sie genau; ja, sie musste geträumt haben, dass jemand laut schrie, und aufgewacht sein, während sie es noch träumte. So musste es gewesen sein, und danach musste sie wieder eingeschlafen sein und sofort weitergeträumt haben, denn sie hatte eine schemenhafte, verworrene Erinnerung daran, unten auch noch ein seltsames Geräusch gehört zu haben, so als wäre dort irgendetwas über den Linoleumboden des Flurs geschleift worden, und ein- oder zweimal das Krachen eines Aufpralls, so als wären auf den kleinen, dunklen, direkt zur Küchentür hinunterführenden Stufen irgendwelche Dinge hart von der einen Stufe auf die nächste hinuntergefallen. Wie albern, so etwas zu träumen!

Jim musste also wirklich etwas für Will getan haben. Das war gut. Hoffentlich würde Will ihr alles darüber erzählen, falls sich eine Gelegenheit ergab, dachte sie, denn für gewöhnlich erzählte er ihr gar nichts, und sie war nicht allzu gut im Rätselraten. Es war ein klein bisschen schade, dass Will nur so wenig mit ihr sprach, denn er konnte doch so schön erzählen, wenn er gut aufgelegt war. Aber so war's nun mal, man konnte nicht alles haben. Und Will war immer *solch* ein Schatz. Auch jetzt sah er richtig süß aus, wie ein süßes kleines Baby. Sie hätte ihn wirklich am liebsten in die Arme genommen, nur ein, zwei Augenblicke lang, so wie sie John, und auch Winnie, gehalten hatte, als sie noch klein waren. Die beiden waren inzwischen keine süßen Babys mehr und versuchten, ohne ihre Mutter zurechtzukommen, und manchmal fühlte sie sich ein wenig einsam. Doch wenn Will sich nicht solche Sorgen machte, konnte sie ihn immer noch auf diese Art lieben. Wie schade nur, dass ihn zurzeit so viele Sorgen plagten. Aber vielleicht würde es ja jetzt, da Jim etwas für ihn getan hatte, besser werden. Sie würde sich neue Nachthemden kaufen, solche wie die in den Schaufenstern in der Rye Lane, sehr warm und angenehm, aber eben auch angenehm anzusehen mit der beinahe echten Spitze an den Ärmelsäumen. Und dann würde vielleicht ... doch in diesem Augenblick ging der Wecker auf ihrem Nachttisch los, und sie konnte sich nicht länger ihren Gedanken hingeben.

Bei dem unvermittelten Geräusch saß ihr Ehemann plötzlich kerzengerade da. Er hielt immer noch die Bettdecke mit den Händen fest, und seine abstehenden Haare ließen ihn so sehr wie ein verschrecktes Baby aussehen, dass Mrs Marble lachen musste. Einen Augenblick lang starrte und blinzelte er sie nur verständnislos an.

»W-was ist das?«, fragte er.

Doch für Mrs Marble war, so wie sie geistig nun einmal konstituiert war, keine seltsame Stimmung je verdächtig oder erschien ihr auch nur seltsam.

»Das ist doch nur der Wecker, Schatz«, sagte sie. »Halb acht.«

»Der Wecker?«, erwiderte Mr Marble. »Ich dachte ... ich habe wohl geträumt. Nur der Wecker?«

Er murmelte immer noch vor sich hin, als er sich wieder, das Gesicht ins Kissen gedrückt, ins Bett kuschelte. Annie hatte noch nie erlebt, dass er vor sich hin murmelte, doch er murmelte und brummelte immer noch vor sich hin, als sie sich bereits anzog. Dann plötzlich hörte das Gemurmel auf, und er saß erneut kerzengerade da im Bett.

»Oh Gott!«, rief er. »Ich habe nicht geträumt.«

Die Bettdecke zur Seite werfend, stieg er mit steifen Gliedern aus dem Bett. In seinem blau-weiß gestreiften Pyjama wirkte er wie ein bemitleidenswerter kleiner Junge, wie er da so quer durchs Zimmer zu dem Stuhl humpelte, auf dem in einem unordentlichen Haufen seine Kleider lagen. Er warf einiges davon zu Boden, griff dann nach seinem Jackett und langte mit der rechten Hand in die innere Brusttasche. Annie konnte nicht sehen, was er dort fand, doch offenbar bestätigte es seine Vermutungen. Ein paar Augenblicke lang starrte er mit leerem Blick ins Zimmer, das Jackett lose in der Hand.

»Nein. Ich habe nicht geträumt«, wiederholte er.

Mit steifen Gliedern, aber in fieberhafter Eile humpelte er zurück durchs Zimmer, schlüpfte in seine Filzpantoffeln und hastete hinaus. Annie hörte mit Verwunderung, dass er nach nebenan in Winnies Zimmer ging. Und dann hörte sie ihn die Fensterläden dort öffnen, während Winnie schläfrig fragte, was los sei, ohne eine Antwort zu bekommen. Annie verstand es einfach nicht. Es war überhaupt das allererste Mal, soweit sie sich erinnern konnte, dass er aus dem Bett aufstand, bevor das Frühstück fertig war. Doch sie hatte keine Zeit, lange darüber nachzudenken. Sie warf sich ihre restlichen Kleider über und lief hinunter, um sich um das Frühstück zu kümmern.

Und die Überraschungen nahmen kein Ende an diesem Tag. Es begann damit, dass Mr Marble in seinem Sonntagsstaat aus feiner blauer Wollserge herunterkam statt in dem schäbigen Anzug, den er üblicherweise im Büro trug, und auf Annies unschuldige und unvermeidliche Bemerkung über dieses merkwürdige Phänomen reagierte er nur mit einem finsteren Blick. Und er ging auch nicht direkt ins Esszimmer, so wie es seine Gewohnheit war, sondern in das kleine und selten genutzte Wohnzimmer hinten; und als Annie pflichtschuldig hinter ihm hereilte, um zu hören, was er wollte, sah sie ihn am Fenster stehen und die kleine matschige Stelle im Garten hinter dem Haus anstarren. Genau dieser Anblick musste sich ihm auch geboten haben, als er so überraschend in Winnies Zimmer gegangen war. Einer, den er jederzeit haben konnte, wenn er zu Hause war, und den er auch schon Hunderte von Malen gesehen haben musste, doch trotz alldem starrte er durch das Fenster das matschige und wie immer blumenlose Beet mit einer Intensität an, die sogar Annie auffiel. Das war außergewöhnlich. Es stimmte schon, dadurch dass er genauso früh aufgestanden war wie sie, war er eine Viertelstunde früher dran als üblich, aber selbst das war kein

Grund dafür, vor dem Frühstück fünf kostbare Minuten damit zu verschwenden, ziellos im Garten auf und ab zu gehen, so als würde er nach etwas suchen. Doch sogar Annie konnte erkennen, dass er erleichtert war, nichts gefunden zu haben.

Während des Frühstücks war alles wie immer. Mr Marble aß wenig, aber das entsprach seiner Gewohnheit, und er redete noch weniger, aber keiner in der Malcolm Road 53 redete je viel beim Frühstück. John war in Hausaufgaben versunken, die er für die Schule vorbereiten musste, und Winnie nähte, während sie ihren Porridge aß, nebenbei noch einen Knopf an ihren Handschuh. Doch als Mrs Marble ihrem Ehemann nach dem Frühstück im Flur in den Mantel half, holte er gerade so, als hätte er es extra dorthin gesteckt, aus der Tasche ein loses kleines Bündel Staatsnoten hervor.

»Hier«, sagte er, »nimm das und bezahl um Himmels willen gleich heute Morgen Evans. Und dann werden wir nicht mehr bei ihm einkaufen. Besorg das, was du brauchst, in Zukunft bei Richards. Das ist genug für die Rechnung bei Evans und noch ein bisschen mehr.«

Annie nahm die Geldscheine dankbar entgegen.

»Oh, da bin ich aber froh, Schatz«, sagte sie. »Dann hat Jim also tatsächlich etwas für dich getan?«

»Wie?«, sagte Mr Marble unvermittelt, und sie schreckte zurück, als sie den Ausdruck in seinem Gesicht sah. »Was soll das heißen?«, fragte er.

»Nichts, Schatz, nur eben das. Wieso ... was denn ...?«

Aber Mr Marble hatte bereits die Tür aufgemacht und ging davon. Und er murmelte wieder vor sich hin.

Annie hatte wahrlich vieles zu bedenken, als sie begann ihre täglichen Haushaltspflichten zu erledigen, doch sogar sie fand es ziemlich schade, dass sie nicht imstande war, allzu klar zu denken. Also, da waren einmal Wills steife Glieder. Sie waren so steif gewesen, dass er heute Morgen kaum gehen konnte, und das hatte sie nur in der Zeit vor ihrer Ehe an ihm gekannt, als er noch Fußball spielte. Aber Will konnte gestern Abend wohl kaum Fußball gespielt haben, oder etwa doch? Das beunruhigte sie. Und oben erwartete sie dann eine weitere Überraschung. Wills anderer Anzug, sein alter für jeden Tag, lag in einem unordentlichen Haufen auf dem Boden des Schlafzimmers. Sie hob ihn auf und hängte ihn weg. Er war ganz durchnässt und dreckverkrustet. Aus diesem Grund also hatte er ihn heute Morgen nicht angezogen. Aber wie konnte er ihn bloß so nass und schmutzig gemacht haben? Erneut musste sie ans Fußballspielen denken, aber das war natürlich albern. Will spielte inzwischen doch gar nicht mehr Fußball, und wenn, dann nicht spätabends und in seiner Alltagskleidung. Mit einem Seufzen ließ sie das Problem auf sich beruhen und räumte weiter das Schlafzimmer auf. Dann waren Winnies und Johns Zimmer dran, und schließlich warf sie überall noch einen Blick hinein und sah nach, ob alles in Ordnung war. Im Badezimmer fiel ihr wieder ein, woran sie sich heute Morgen erinnert hatte. Will war gestern Abend hier drin gewesen. Vielleicht konnte sie herausfinden, warum? Doch sie entdeckte nichts Ungewöhnliches, als sie sich umsah. Das abgeschlossene Schränkchen mit der Glastür, in dem Will seine Chemikalien aufbewahrte, hing an der Wand neben ihr. Sie spähte hinein, so wie sie es schon Hunderte Male zuvor getan hatte. Die vielen verschiedenen Fläschchen sagten ihr nichts; doch sie schaute sich zu gern die Etiketten an und fragte sich, was das alles bedeuten mochte. Manche der Fläschchen waren aus rätselhaft braunem Glas, manche aus weißem, und sie waren alle sehr ordentlich nebeneinander aufgereiht. Nur eins nicht, das stand nicht ganz an seinem Platz. (Was schon einmal passieren könnte, wenn man es im Dunkeln dorthin zurückstellen würde.) Eher zufällig warf Annie einen Blick auf das Etikett. Es sagte ihr gar nichts, doch irgendwie blieb die merkwürdige Bezeichnung in ihrem Gedächtnis haften – Kaliumcyanid. Und ohne einen weiteren Gedanken daran zu verschwenden, wandte sie sich von dem Schränkchen wieder ab.

Es lag ein vergnüglicher kleiner Rundgang vor ihr. Sie war richtig aufgeregt, als sie daran dachte, während sie sich vor ihrem Schlafzimmerspiegel den Hut aufsetzte. Es war lange her, seit sie so viel Geld in der Tasche gehabt hatte wie heute. Nicht, dass es lange dort bleiben würde, weil sie die Rechnung bei Evans begleichen musste, doch sie kam sich sehr reich und wichtig vor, dass sie einfach in Evans' Geschäft hineingehen, in ganz sachlichem Ton um die Rechnung bitten und dann ihre Handtasche öffnen, ein Bündel Geldscheine herausholen und ihm den ausstehenden Betrag überreichen konnte, so als wäre es etwas ganz Alltägliches für sie, solche Dinge zu tun. Das würde wunderbar sein, und dann würde sie weitergehen zu Richards, und dessen Geschäft betreten, und Mr Richards würde ausnehmend freundlich sein zu ihr, da sie eine neue Kundin war, und sie würde kaufen, was immer sie wollte, und er würde immer sagen »Ja, Madam« und »Nein, Madam«, so als wäre jedes Wort von ihr Gesetz. Sie freute sich sehr, dass Jim etwas für Will getan hatte. Sonst würde sie heute keinen so schönen Tag haben. Denn im Vergleich zu dem normalen Tag einer Frau, die sich um einen Haushalt zu kümmern hatte, würde es schließlich ein schöner Tag sein.

Und sie freute sich immer noch, als Mr Marble am Abend aus dem Büro nach Hause kam, kurz nachdem die Kinder ihre Teemahlzeit eingenommen und sich hingesetzt hatten, um ihre Hausaufgaben zu machen. Er sah sehr müde aus, der Arme, und sein Gang war immer noch steif, doch Mrs Marble hatte dank ihres Einkaufs bei Richards eine schöne Teemahlzeit für ihn hergerichtet: feines Rührei, gute Eier, nicht diese anderen, drei Scheiben Toast und eine Kanne frisch aufgebrühten Tee. Mrs Marble war enttäuscht, als er den schönen Teetisch mit unverkennbarem Widerwillen betrachtete. Mit einem Seufzen warf er sich in einen der Sessel.

»War jemand hier?«, fragte er.

»Nein, Schatz, niemand«, erwiderte Annie, überrascht.

»Wirklich nicht?«

»Wirklich nicht, Schatz. Wer hätte denn kommen sollen? Außer dem Milchmann und den Händlern, die Waren verkaufen, war niemand da. Und heute war auch nicht der Tag, an dem Mr Brown wegen der Versicherung kommt.«

»Nun gut«, sagte Mr Marble und begann das Päckchen auszupacken, das er mit hereingebracht hatte. Die Kinder sahen interessiert auf, waren dann aber enttäuscht. Es war nur eine blöde alte Flasche Whisky. Doch Mr Marble sah sie sehr begierig an.

»Willst du deine Teemahlzeit gar nicht essen, Schatz?«, fragte Mrs Marble.

Mr Marble sah auf, zögerte, sah erneut auf.

»Oh, ja, sicher«, sagte er widerwillig.

Er setzte sich vor sein Tablett und begann zu essen, während seine Ehefrau begann, ihrer wunderbaren Pflicht des Umsorgens nachzukommen, ihm Tee einschenkte, die Teekanne mit Wasser aus dem Kessel auf dem Herd auffüllte und darauf achtete, dass er es so angenehm wie möglich hatte. Doch Mr Marble hatte kaum begonnen, als er schon wieder vom Tisch aufstand und aus dem Zimmer eilte. Annie, verletzt davon und auch verwirrt, hörte ihn im Wohnzimmer nebenan – zum zweiten Mal an diesem Tag, und vermutlich sogar in den letzten Monaten. Beinahe unwillkürlich folgte sie ihm und sah ihn im Dämmerlicht durch das Fenster in den Garten hinausblicken, wo ein leichter Regen fiel. Er ergriff das Wort, als er sie hinter sich hörte.

»Musst du mir überallhin nachlaufen?«, herrschte er sie an.

»Tu ich doch gar nicht, Schatz. Möchtest du irgendwas haben, Schatz?«

»Tu ich doch gar nicht, Schatz. Möchtest du irgendwas haben, Schatz?«, äffte er sie nach. »Nur eine Ehefrau mit ein bisschen Verstand. Das ist alles.«

Ohne Entschuldigung drängte er sich an ihr vorbei zurück ins Esszimmer. Dort fand sie ihn am Tisch sitzend, doch er hatte sein schönes Tablett von sich geschoben und starrte düster die Whiskyflasche an, die, wie ein Hausgott, genau in der Mitte des Tisches stand. Er konnte die Augen nicht abwenden davon und hob weder den Blick, als sie hereinkam, noch sagte er etwas. Einige Minuten lang herrschte Stille in dem Zimmer, unterbrochen nur vom Kratzen von Winnies Stift und dem flüsternden Gemurmel der beiden Kinder, die sich mit ihren Hausaufgaben abmühten. Annie hätte das Tablett wegräumen und mit dem Abwasch beginnen sollen. Das war ihre nächste Hausfrauenpflicht, doch aus irgendeinem Grund tat sie es nicht. Mr Marbles Blick löste sich von der Whiskyflasche und fixierte das Tischtuch. Seine Gedanken hatten offensichtlich eine andere Richtung eingeschlagen. Plötzlich rutschte er unbehaglich auf seinem Stuhl herum, und dann sah er auf.

»War Mrs Wie-heißt-sie-gleich-wieder heute hier?«, fragte er seine Ehefrau. »Ach, du weißt schon, wen ich meine … diese Waschfrau.«

»Nein, Schatz, natürlich nicht. Sie kommt doch nur jeden zweiten Montag. Es ist erst Montag in einer Woche wieder so weit.«

»Nun, sie wird überhaupt nicht mehr kommen. Du musst

die Wäsche selbst machen, wenn du es dir nicht leisten kannst, sie außer Haus zu geben.«

»Aber wir können es uns doch gar nicht leisten, sie außer Haus zu geben, Schatz. Wäschereien sind furchtbar teuer heutzutage.«

»Dann musst du es eben selbst machen.«

»Aber das will ich nicht. Warum denn nur, Will? Das ist eine furchtbar schwere Arbeit.«

»Schwere Arbeit hat noch keinen umgebracht. Ich will nicht, dass in *meinem* Haus noch länger irgendwelche fremden Frauen herumlaufen und in *meinem* Garten Wäsche aufhängen. Darum.«

»Aber –«

»Das reicht jetzt. Tu, was ich sage, und zetere nicht.« Und damit wandte Mr Marble seinen düsteren Blick wieder der Whiskyflasche zu.

Die arme Annie war den Tränen nahe. Es war so ein schöner Tag gewesen bis jetzt, und nun ging einfach alles schief. Um ihr wimmerndes Schniefen zu kaschieren, griff sie nach dem Teetablett und ging damit die Stufen hinunter in die Küche.

Mr Marble betrachtete die Whiskyflasche. Er hatte das Gefühl, dass er einen Drink brauchte, trotz der Tatsache, dass er heute schon drei oder vier – oder waren es fünf oder sechs? – Whiskys gehabt hatte. Er war sehr erschöpft, sehr, sehr erschöpft, und sein Kopf schmerzte. Genau so, wie er gestern um diese Zeit geschmerzt hatte. Nein, an gestern wollte er nicht denken. Wie ihm die Arme wehgetan hatten bei dieser Schaufelei! Und eigentlich hätte er auch eine Erkältung bekommen müssen, so wie es geregnet hatte, aber das war ihm erspart geblieben. Reiner Scotch Whisky. Ein sehr schlichtes Etikett auf der Flasche, aber da war ein guter Tropfen drin. Bei

Gott, und was für einer! Ein unbeschreiblich leidenschaftlicher Wunsch nach einem Drink überkam ihn, und er schob geräuschvoll seinen Stuhl vom Tisch zurück und holte den Korkenzieher aus der Schublade der Anrichte. Rasch und geschickt zog er den Korken heraus. Nicht ein Krümel fiel in die Flasche hinein. Dann nahm er sich einen Tumbler und stellte ihn neben die Flasche. Es war kein Sodawasser mehr übrig von gestern Abend, aber er wollte auch gar kein Sodawasser. Er wollte überhaupt nichts weiter außer der Erleichterung, die ein paar Schlucke dieser gelben Flüssigkeit ihm bringen würden. Immer noch am Tisch stehend, nahm er die Flasche liebevoll in die Hand. Und auf einmal wurde ihm bewusst, dass die Blicke seiner Kinder auf ihm ruhten. Froh darüber, eine Ablenkung von der Mühsal ihrer Hausaufgaben gefunden zu haben, hatten sie schweigend dagesessen und jede seiner Bewegungen verfolgt. Wut stieg auf in Marble, als er erkannte, dass es ihm ganz unmöglich sein würde, unter diesen ernsten Blicken etwas zu trinken. Mit einem dumpfen Knall stellte er die Flasche wieder auf den Tisch.

»Verflixt noch mal, Kinder!«, rief er aufgebracht. »Warum um Himmels willen seid ihr noch nicht im Bett?«

Keins der Kinder sagte ein Wort. Das Unheil hing erneut drohend über ihnen, das wussten sie, und es war wohl mehr, als man erhoffen durfte, dass es auch diesmal wieder durch den Besuch eines Fremden aufgeschoben werden würde, so wie es wundersamerweise gestern geschehen war. Aber wenn sie ganz still blieben und so taten, als wären sie vollkommen mit ihren Hausaufgaben beschäftigt, würde es vielleicht doch gut ausgehen. Und so steckten sie die Nasen in ihre Bücher. Marble konnte nur noch ihre Hinterköpfe sehen, die sich leicht hin und her bewegten, als sie wieder über ihren Schreibheften brüteten.

»Pah!«, schnaubte er. »Tut doch nicht so. Klappt diese Bücher da zu und geht zu Bett. Jetzt sofort.«

Unter günstigeren Umständen hätten sie protestiert, dass es noch nicht annähernd ihre Schlafenszeit war. Sie hätten darauf hingewiesen, dass es erst kurz nach sieben war und ihnen mindestens noch eine weitere Stunde zustand. Aber auf die intuitive Art von Kindern wussten sie, dass es diesmal am besten für sie wäre, wenn sie möglichst wenig sagten. Schweigend begannen sie ihre Bücher zusammenzupacken.

»Geht zu Bett! Geht zu Bett!«, wetterte Mr Marble, und dann brüllte er plötzlich John an: »Und du, junger Mann, sieh mich nicht so an.« Auf einmal war er halb hysterisch vor Wut. Wie ein Wahnsinniger hämmerte er mit der Whiskyflasche auf den Tisch, weil sein Verlangen derart aufgeschoben wurde. John wandte seinen finsteren Blick in eine andere Richtung, doch der Ausdruck in seinem Gesicht blieb unverändert, was nur dazu beitrug, seinen Vater noch weiter in den Wahnsinn zu treiben, falls das denn überhaupt möglich war. Mr Marble holte aus und versetzte dem Jungen mit der flachen Hand eine so kräftige Ohrfeige, dass dieser taumelte.

Sie gingen, ohne ein einziges Wort, doch der finstere Ausdruck in Johns Gesicht hatte inzwischen etwas irgendwie Triumphierendes an sich. Wenn er schon auf so willkürliche Art zu Bett geschickt wurde, dann würde er wenigstens dafür sorgen, dass sein Vater dabei die Beherrschung verlor. John konnte seinen Vater nicht leiden, wenn der diese seltsamen Launen hatte – und diese Launen wurden in der letzten Zeit auch noch immer häufiger.

Die Kinder gingen, und Mr Marble seufzte erleichtert auf. Er schob seinen Sessel dichter ans Kaminfeuer und stellte den Beistelltisch daneben, für sein Glas. Er würde abwarten und ganz methodisch vorgehen, jetzt, da er mit Gewissheit sehr bald schon einen Whisky trinken konnte. Er schenkte sich einen maßvollen Drink ein und kippte ihn hinunter. Sofort fühlte er sich besser, viel ruhiger, viel *sicherer*. Er füllte sein Glas erneut und stellte es auf den kleinen Tisch neben dem Sessel. Dann setzte er sich gemütlich ans Kaminfeuer und blickte in die züngelnden Flammen. Genau das hatte er gestern tun wollen, bevor dieser elendige Bursche aufgetaucht war und ihm den Abend verdorben hatte. Aber nein, es war sogar besser als gestern; da waren nur noch drei Drinks in der Karaffe gewesen. Jetzt dagegen hatte er eine ganze Flasche voll Whisky, die ihm für diesen Abend mindestens reichen würde, ohne dass er einen Gedanken ans Sparen verschwenden müsste. Wie schön es doch war, nicht sparen zu müssen. Und er würde, Gott sei Dank, mindestens noch zwei weitere Wochen lang in keinerlei Hinsicht sparen müssen, oder sogar noch viel länger, wenn er nur endlich diese Fünf-Pfund-Scheine wechseln lassen würde. Und warum sollte er das auch nicht tun? Die Ein-Pfund-Scheine waren natürlich am sichersten, aber die Fünfer sollten doch ganz genauso sicher sein. Sie würden nichts verraten, selbst wenn man ihre Spur von Medland bis zu ihm zurückverfolgte. Und solange er vorsichtig vorging und sie nur an Orten wechseln ließ, wo man ihn nicht kannte, wären sie gar nicht zurückzuverfolgen. Aber war das überhaupt wichtig? Es war doch albern zu meinen, er hätte all die Mühe, die er sich gestern Nacht gemacht hatte, nur deshalb auf sich genommen, um lumpige dreißig Pfund Schulden zurückzuzahlen. Wenn schon, denn schon – im Zweifelsfall wartete ja ohnehin der Galgen. Moment mal! Warum dachte er an den Galgen?

Mrs Marble, die aus der Küche zurückkam, sah ihren Ehemann gierig nach dem Glas auf dem Beistelltisch greifen und den Inhalt mit unbeherrschten Schlucken trinken. Da wusste sie, dass der liebe Will den restlichen Abend über unzugänglich sein und es keine Gelegenheit geben würde, mit ihm das schöne Gespräch darüber zu führen, was Jim für sie getan hatte, auf das sie sich schon den ganzen Tag lang gefreut hatte. Mrs Marble war ziemlich enttäuscht.

3

Doch Mr Marble zögerte noch einige Wochen lang, diese Fünf-Pfund-Scheine wechseln zu lassen. Sein Charakter war recht vielschichtig. Als er eine in die Enge getriebene Ratte gewesen war, hatte er gekämpft wie eine, verzweifelt und bis aufs Blut, doch jetzt, da er entkommen war, dachte er an nichts anderes als an Flucht und daran, seine Spuren zu verwischen.

Er zahlte schon schwer genug für die wenigen Staatsnoten. Sein Herz, das an jenem stürmischen Abend so stark geklopft hatte, klopfte jetzt bei anderen Gelegenheiten ganz genauso stark. Er konnte gar nicht aufhören sich auszumalen, welche Ereignisse in der Zukunft möglicherweise eintreten könnten, und einige neue düstere Gedanken über ein Eintreffen der Polizei, veranlasst von den Angestellten in Medlands Hotel, oder über eine unerwartete Untersuchung der Bank, wo denn das Geld herkomme, das sich so plötzlich in seinem Besitz befinde, führten zu einem solchen Herzklopfen bei ihm, dass er sich schließlich nur noch in seinen Sessel zurücklehnen und keuchen konnte. Und des Nachts wachte er schweißgebadet auf, wenn das Blut ihm fiebrig unter der erhitzten Haut entlangjagte, während sich im Schlaf irgendwelche abstrusen Möglichkeiten in seinem Geist entwickelten. Dann wälzte und warf er sich im Bett herum, undeutlich vor sich hinmurmelnd und gequält von Ängsten aus den Sphären des Gewissen und des Ungewissen. Und wenn er besonders schlecht geschlafen hatte, kehrten manchmal ein oder zwei Erinnerungen zu ihm zurück: Erinnerungen an ein Paar starrer Augen, und an ein jungenhaftes Gesicht mit Schaum vor dem Mund. Das war das Schlimmste überhaupt.

Er war nicht einmal mehr glücklich, wenn er alleine im Esszimmer in der Malcolm Road saß, mit einer vollen Flasche seines einzigen Freundes neben sich und beruhigt darüber, dass *draußen im Garten niemand herumschnüffelte.* Anfangs befeuerte der Whisky seine Gedanken sogar noch. Es dauerte lange, bis er aufhören konnte darüber nachzudenken, was alles geschehen könnte, doch schon bald waren die schlimmsten Momente für ihn jene zu Anfang des Abends, wenn der Whisky nur brannte und nicht betäubte. Manchmal fürchtete er die Aussicht darauf so sehr, dass er vor dieser anfänglichen Qual zurückschreckte und den ganzen Abend lang kein einziges Glas trank, auch wenn jede Faser seines Körpers danach zu schreien schien. Das waren die Momente, in denen ihn nach der Gesellschaft seiner Ehefrau und seiner Kinder verlangte; in denen er Annie zu langen Monologen darüber ermunterte, wie sie den Tag zugebracht hatte. Wenn Marble dann, zurückgelehnt in seinen Sessel, Annie neben sich langatmig von ihrer Begegnung mit dem Bäckersburschen erzählen hörte, der inzwischen für den Fleischer arbeitete, und dass sie in die Rye Lane gegangen war, um im Ausverkauf Restposten einzukaufen, und was Mr Brown, der Versicherungsvertreter, zu sagen gehabt hatte, erschien es ihm unvorstellbar, dass etwas Ungewöhnliches geschehen war. Das alles musste ein wilder Traum gewesen sein. Denn wenn es Realität wäre, wie könnte er dann hier so friedlich an seinem Kaminfeuer sitzen? Kurze einsilbige Einwürfe reichten aus, um Annies Redefluss aufrechtzuerhalten, und so hatte Mr Marble reichlich Zeit dazu, über all das nachzudenken. Es wirkte zu sehr wie ein abstruser Albtraum, als dass es wirklich in diesem Zimmer hier geschehen sein könnte, in diesem schäbigen, vollgestopften Esszimmer in der Vorstadt; als dass dort draußen im Garten wirklich ein schreckliches Geheimnis versteckt sein könnte. Betäubt von Annies Gerede, oder von Johns oder Winnies Geplauder über die Schule, gelang es Mr Marble nicht allzu selten, sich selbst davon zu überzeugen, dass es tatsächlich nur ein Traum gewesen war. Und Annie war auch auf so reizende Art aufgeregt und geschmeichelt von der Aufmerksamkeit, mit der er ihr zuhörte! Doch wenn die Nacht kam, zahlte Mr Marble für diese Entspannung. Kurz vor dem Einschlafen erkannte er dann, dass es doch kein Traum gewesen war – und er brachte die Nacht damit zu, sich in friebriger Angst hin und her zu werfen.

Nur schrittweise gewann er wieder an Sicherheit. Es war keine vollkommene Sicherheit, sondern eher das Gefühl, dass ihm alles willkommen wäre, wenn es denn nur endlich einträte. Kein Polizist schnüffelte neugierig um die Malcolm Road 53 herum; kein Angestellter des Hotels kam, um sich nach dem gegenwärtigen Aufenthaltsort eines gewissen James Medland zu erkundigen. Marble hatte seine Schulden bezahlt, jeden einzelnen Betrag, wie ein vernünftiger Mann, und das hatte den ganzen mageren Bestand an Ein-Pfund-Scheinen verzehrt. Doch seine privaten Ausgaben waren inzwischen viel höher – was unvermeidbar war, wenn er schon ein halbes Pfund pro Tag für Whisky ausgab –, und nichts von dem, was er Annie sagte, wirkte sich so aus, dass die Haushaltskosten sanken. Die alte Gewohnheit, dass die Ausgaben immer ein bisschen höher waren als sein Einkommen, wurde zur festen Regel. Unter diesen Umständen war es unvermeidbar, dass auch die Fünf-Pfund-Scheine dahinzuschwinden begannen. Er ging sehr umsichtig vor, so wie seine Erfahrung als Bankangestellter es ihn gelehrt hatte. Keiner dieser Scheine knisternden Papiergeldes ging jemals durch die Hände eines der Händler in der Umgebung, und ganz gewiss niemals über Mr Marbles Konto bei der Bank.

Gelegentlich sah man in den großen Eckwirtshäusern mit den vergoldeten Schildern über der Tür einen kleinen Mann mit rundem Gesicht allein dasitzen. Er bestellte ein teures Mittagessen, so teuer, wie es die begrenzte Speisekarte nur hergab, und aß es hastig und verstohlen, ohne je mit einem Blick aus seinen blassblauen Augen die Leute an den anderen Tischen zu betrachten, und sobald er fertig war, verlangte er gleich nach der Rechnung und eilte davon. Er zahlte die Rechnung mit einem Fünf-Pfund-Schein, und während er sich noch das Wechselgeld in die Tasche stopfte, lief er schon davon, so als würde er verfolgt werden. Und er wurde ja auch verfolgt. Der eine Verfolger war seine unerträgliche Angst, dass eine der Gehrock tragenden Aufsichtspersonen ihn aufhalten und fragen könnte, woher dieser Geldschein denn komme – mit einem bedeutungsvollen Blick zu einem der Kellner hinüber, dass dieser den schon wartenden Detective herbeiholen möge –, und der andere war die quälende Angst, dass jemand in dem ungepflegten Garten hinter einem der Reihenhäuser in einer der schäbigen Straßen einer südlichen Vorstadt zufällig etwas finden könnte. Mr Marble erfuhr, was es hieß, mit einem so albern in der Brust klopfenden Herzen wie dem seinen ebendiese Straße entlangzugehen, schwitzend vor Ungeduld zu Hause anzukommen in dem Wunsch, sich zu vergewissern, dass alles gut war, und dann zögernd an der Eingangspforte vorne stehen zu bleiben, unfähig hineinzugehen und sich dem zu stellen, was dort vielleicht auf ihn wartete – die Polizei oder, was beinahe genauso schlimm wäre, ein in den Augen seiner Ehefrau und seiner Kinder liegender Blick, begleitet von unausgesprochenen Worten, die bedeuteten, dass sie es *wussten*. Und dennoch geschah nichts dergleichen.

Mit dem, was schließlich eintrat, hatte er nicht im Entferntesten gerechnet. Es war neun Uhr abends, und Mr Marble saß in demselben muffigen Esszimmer und maß ein ums andere Mal mit dem Blick die beiden im Moment wichtigsten Dinge – den Füllstand der Whiskyflasche und den Weg, den die Zeiger der Uhr zurückgelegt hatten. Seine Ehefrau war ebenfalls im Zimmer, machte aber, abgesehen von ihrem geflüsterten Selbstgespräch, nicht weiter auf sich aufmerksam. Eine patzige Zurechtweisung früher am Abend hatte ihr gezeigt, dass heute nicht einer seiner »netten« Abende war. Doch als der Postbote klopfte, stand sie auf, um zu holen, was er gebracht hatte. Es war nur ein einziger Brief, und sie reichte ihn Will. Mit whiskyträgen Fingern riss er ihn unbeholfen auf und las mit whiskytrübem Blick die maschinegeschriebene Mitteilung. Er musste sie dreimal lesen, bevor er die Worte verstand, und danach saß er fünf Minuten lang reglos da, während ihm langsam ihre Bedeutung klar wurde. Es war die offizielle Aufforderung, aus dem Haus in der Malcolm Road 53 auszuziehen.

Am nächsten Morgen erst konnte er sich selbst davon überzeugen, dass die Gefahr nicht so real war, wie sein erschrockener Geist am Abend zuvor geglaubt hatte. Zurzeit war er natürlich vollkommen abgesichert. Das Mietgesetz schützte ihn für die gesamte Dauer seines Mietvertrages. Diese offizielle Aufforderung, aus dem Haus auszuziehen, war nur eine notwendige vorbereitende Maßnahme, um seine Miete erhöhen zu können. Doch sie gab ihm einen realen Grund für seine Angst. Sie hielt ihm eine konkrete Sache vor Augen, die es zu fürchten galt, anstatt der wilden Albträume von herumschnüffelnden Nachbarn oder streunenden Hunden, die in dem nicht bepflanzten Blumenbeet buddeln könnten. Aber irgendwann einmal würde er das Haus doch verlassen müssen, und was würde dann geschehen? Er wusste es nicht.

Am nächsten Abend führte der Bibliothekar der Filiale der öffentlichen Bibliothek in Dulwich ein Gespräch mit einem kleinen Mann mit dürftigem rotem Schnurrbart und hellblauen Augen in einem schäbigen blauen Anzug, der die Formalitäten erledigte, um einen Ausleihausweis zu erhalten, und dann eine Auswahl von Büchern über Verbrechen sehen wollte.

»Zu diesem Thema haben wir leider nur sehr wenige Bücher, fürchte ich«, sagte der Bibliothekar überrascht.

»Das macht nichts, zeigen Sie mir mal, was da ist«, erwiderte Marble.

Der Bibliothekar brachte ihm einen Arm voller Bücher. Es waren zwei von Lombrosos Werken, ein Band zu Rechtsmedizin, zwei oder drei verschiedene Werke über Gefängnisreformen und verwandte Themen, und ganz unten aus dem Stapel zog der Bibliothekar entschuldigend noch einen recht reißerischen Band mit dem Titel ›Verbrechen und Verbrecher: Historische Tage vor den Schwurgerichten‹ hervor. Mit zittrigen Händen ging Marble den Stapel durch und betrachtete die Bücher neugierig.

»Ich nehme das hier«, sagte er entschlossen, das Buch ›Verbrechen und Verbrecher‹ in Händen haltend.

Der Bibliothekar versah es mit einem Datum und händigte es ihm unwillig aus. Die eine Sorte Ausleiher betrachtete er mit Sympathie; die andere konnte er tolerieren, zumal er wusste, dass sie die Bibliothek hauptsächlich am Leben hielt. Die eine Sorte war die des einfachen Angestellten und Handwerkers, der sich redlich um Weiterbildung bemühte, die andere die des emsigen Lesers von Romanen. Den Vielfraß jedoch, der alle möglichen Bücher las, hasste er geradezu, weil er ihm den anrüchigen Wunsch unterstellte, dabei vor allem jener Bücher habhaft werden zu wollen, die sogar eine öffentliche Bibliothek in einem gewissen Umfang besaß und die entweder das Geschenk eines leichtfertigen Spenders waren oder (gefährlicherweise, seiner Ansicht nach) als »Klassiker« bezeichnet wurden. Und dieser neue Ausleiher hier war eindeutig ein schlechtes Beispiel dieses Typus. Sein pervertierter Geschmack war offenbar sogar schon von den Romanen übersättigt, die eine öffentliche Bibliothek zu bieten hatte, und das Verlangen nach dem Sensationellen war, seiner Ansicht nach, sogar noch schlimmer als die Nachforschungen pickeliger Jugendlicher über körperliche Merkmale. Er hatte unter all den Büchern in der Bibliothek das eine ausgeliehen, für das der Bibliothekar sich am meisten schämte. Traurig schüttelte er den Kopf, als die Gestalt mit den hängenden Schultern sich entfernte.

Doch dies war der erste Abend seit Monaten, an dem Mr Marble nicht mehr trank, als gut für ihn war. ›Verbrechen und Verbrecher‹ faszinierte ihn nachhaltig. Es war kein Thema, über das er viel wusste; ja, ihm waren nicht einmal die Details des gewöhnlichen kriminellen Vorgehens bekannt. In diesem Buch jedoch traf er auf Verbrecher, die als »berühmt« bezeichnet wurden; er las grausige Geschichten von Leidenschaft und Rache; und mit der grauenhaften Konzentration eines Häftlings im Todestrakt las er von den letzten Momenten auf dem Schafott.

Und ihm standen die Haare zu Berge und ihn ergriff eine schreckliche Verzweiflung, als er mit der Zeit erkannte, dass zwei von jeweils dreien der beschriebenen Verbrecher gescheitert waren, weil sie nicht gewusst hatten, wie sie die Leiche loswerden sollten. Da war die Geschichte einer Frau, die meilenweit mit einer Leiche in einem Kinderwagen durch die Straßen Londons spaziert war; da war ein Bericht über Crippens Leben in London mit der in seinem Keller vergrabenen Leiche seiner Ehefrau; doch letztlich hatte die Polizei sie alle zur rechten Zeit zu fassen bekommen. Auf dieser vermaledeiten Schwierigkeit wurde in dem Buch mit großer Selbstgerechtigkeit herumgeritten. Um Mitternacht erst legte Mr Marble, krank vor Angst, das Buch zur Seite. Zurzeit war er abgesichert; ja, alles in allem war er in vielerlei Hinsicht abgesichert. Solange er dafür sorgen konnte, dass das Blumenbeet nicht angerührt wurde, würde niemand auf die Idee kommen, dass es überhaupt Anlass zu irgendeinem Verdacht gab. Dieser Neffe von ihm war ins Nirgendwo entschwunden, das so viele von denen beherbergt, deren Vermisstenanzeigen nur gelegentlich einmal von den Zeitungen aufgegriffen werden. Es gab nichts, absolut gar nichts, das ihn, den anständigen Mr Marble, mit dem Verschwinden des jungen Medland in Verbindung brachte. Aber wenn irgendein Blödmann, und sei es nur aus Versehen, erst einmal dieses Blumenbeet genauer unter die Lupe nahm, dann wäre der Teufel los. Mr Marble wusste nicht, ob zu diesem späten Zeitpunkt eine Identifikation noch möglich wäre – und er sagte sich, dass er in der Bibliothek noch ein Buch ausleihen müsse, in dem er das nachschlagen konnte –, aber selbst wenn das nicht möglich wäre, würde es unerfreuliche Ermittlungen geben, und er würde gewiss in Schwierigkeiten geraten. Wie auch immer, er musste entweder die vollkommene Kontrolle über dieses Blumenbeet behalten, oder er musste irgendwelche anderen angemessenen Arrangements treffen. Und vor diesen »Arrangements«, was auch immer das sein sollte, schrak seine Seele voll Grauen zurück. Das würde bestimmt seinen Ruin bedeuten. Es würde irgendein unvorhergesehenes Missgeschick passieren, genau wie bei dem Fuhrwerk, in dem einer dieser Männer aus dem Buch die sterblichen Überreste seines Opfers die Borough High Street entlangtransportieren wollte. Dann wäre er entdeckt und dann ...? Gefängnis und Galgen, sagte Mr Marble zu sich selbst, während ihm der Schweiß in Strömen das Gesicht herunterlief.

Eines würde ihm Sicherheit geben, und das wäre der Kauf dieses Hauses. Das würde ihm für den Rest seines Lebens Sicherheit vor allen Belästigungen geben. Was nach seinem Tod geschehen würde, war Mr Marble egal, solange dieser Tod nicht durch einen Gerichtsprozess schneller herbeigeführt wurde.

Aber wie um alles in der Welt sollte Mr Marble dieses Haus kaufen? Er lebte jetzt schon über seine Verhältnisse, sagte er sich mit einem grimmigen Gedanken an das Wechseln von Fünf-Pfund-Scheinen in den beliebten Eckwirtshäusern. Doch er musste, er musste, er musste. Die blinde Panik der ersten Monate war inzwischen zu einer begründeten Panik geworden; das einzige Ziel in Mr Marbles Leben bestand nun darin, zu genug Geld zu kommen, um dieses Haus zu kaufen. Das Schreiben von gestern mit der Aufforderung, aus dem Haus auszuziehen, hatte darauf angespielt, dass Mr Marble es vielleicht vorteilhafter finden könnte, zu kaufen statt weiterhin zu mieten. Mr Marble ging zu Bett, und dort warf er sich dann die ganze Nacht lang murmelnd hin und her neben seiner Ehefrau, während er die unmöglichsten Pläne schmiedete, um Geld aufzutreiben, eine sehr große Menge Geld, genug Geld, um das Eigentum an der Malcolm Road 53 zu erwerben.

4

In der Bank hatte man in der letzten Zeit, wie durchaus zu erwarten, eine leichte Veränderung in Mr Marbles Auftreten bemerkt. Er wirkte stets betrübt, und oft war unverkennbar, dass er getrunken hatte. Dem Abteilungsleiter, als dessen Stellvertreter Mr Marble fungierte, fiel dies immer wieder auf, doch er griff zu keinen drastischen Maßnahmen. Zum einen war er froh, keinen allzu tüchtigen Stellvertreter zu haben, denn so konnte er die Arbeit stärker in der eigenen Hand behalten und dadurch seine Position in der Bank stärken, und zum anderen empfand er eine eigenartige Sympathie für den »armen Marble« mit seiner betrübten Miene, und seinen betrübten Blicken, und seinem trübseligen Schnurrbart. Ja, Mr Henderson freute es sogar aufrichtig, dass Marble sich offenbar aus seinen finanziellen Schwierigkeiten befreit hatte, die ihn viele Monate lang schon zwei Wochen vor dem Zahltag zu Mr Henderson getrieben hatten, um sich Geld zu leihen. Was Henderson jedoch nicht erkannte, war, dass trotz Marbles antriebsloser Haltung und seiner scheinbaren Unfähigkeit, etwas anzupacken, das der Mühe wert war, irgendwo in ihm ein scharfer Geist steckte – ein immer noch messerscharfer, trotz der großen Mengen an Whisky, die er in der letzten Zeit trank – und ein Quell potenziell leidenschaftlicher Energie, die wunderbare Dinge zu Wege bringen könnten, wenn nur irgendetwas ihn einmal genügend aufrütteln würde. Mr Henderson wusste natürlich nichts von jenem Stück Arbeit, das

Marble einige Monate zuvor so fabelhaft tüchtig vollbracht hatte.

Bislang hatte Mr Marble keine Gelegenheit gefunden, sich das Geld zu beschaffen, das er so enorm herbeisehnte. Doch das Geld lag die ganze Zeit, während er arbeitete, geradezu in der Luft, und das sogar noch stärker als üblich in einer Bankabteilung. Denn die Abteilung der National County Bank, dessen leitender Chef Mr Henderson war, mit Mr Marble als seinem leitenden Mitarbeiter, kümmerte sich ausschließlich um Devisengeschäfte, kaufte und verkaufte also den ganzen Tag lang Fremdwährungen, Dollar für Baumwollspinner, Franc für Kostümschneider, Peseten für Weinhändler und Dollar, Franc, Peseten und, vor allem, Mark für Spekulanten aller möglichen und unmöglichen Handelszweige. Das Glücksspiel mit Devisen hatte sich in der letzten Zeit im ganzen Land zu einer Gepflogenheit entwickelt, von der die National County Bank kräftig profitierte. Wenn irgendwo, dann könnte Mr Marble sich das Geld, nach dem ihn so dürstete, hier beschaffen. Doch Mr Marble wusste zu gut Bescheid über das Geschäft mit Devisen, und er hatte Angst. Gelegentlich einmal hatte er durch rechtzeitig platzierte Käufe und Verkäufe ein oder zwei Pfund gemacht, aber nicht oft. Er hatte die Beispiele jener Kunden vor Augen, die Mark gekauft hatten zu Preisen, die angeblich niedriger waren, als sie jemals wieder werden würden, nur um mitanzusehen, wie aus den absurden Tausenden noch absurdere Hunderttausende wurden und dies den Verlust von neun Zehnteln ihrer Investitionen bedeutet hatte. Der kluge Mann, der mit Devisen spekulierte, tat in den meisten Fällen gut daran zu verkaufen, statt zu kaufen. Aber man konnte nicht verkaufen, ohne zuerst gekauft zu haben, es sei denn, man war in der Lage, ein »Termingeschäft« mit der Bank zu vereinbaren. Von fallenden Börsenkursen kann man nur dann profitieren, wenn man das verkauft, was man nicht hat. Doch keine Bank würde einem Kunden Termingeschäfte gestatten, wenn dieser zuvor nicht gewisse Gründe dafür vorweisen konnte, warum er dies zu tun wünschte. Nicht zu viele, natürlich, aber doch immer noch viel mehr als ein einfacher Bankangestellter mit nur sechzig Pfund auf seinem Konto irgendwie vorweisen konnte. Und das Termingeschäft bot noch einen weiteren Vorteil. Dafür musste man lediglich einen sogenannten Margin von zehn Prozent des investierten Betrags als Sicherheit bei der Bank hinterlegen. In so einem Fall bedeutete ein Anstieg des Werts des hinterlegten Betrags um fünf Prozent dann bezogen auf den investierten Betrag einen tatsächlichen Gewinn von fünfzig Prozent – wenn man denn das Glück hatte, gekauft zu haben; hatte man stattdessen verkauft, bedeutete es einen Verlust von fünfzig Prozent. Und würde man mit einem Margin von zehn Prozent kaufen und der Wert des gekauften Geldes sich verdoppeln, konnte das investierte Geld nicht nur mit zwei multipliziert werden, sondern mit zwanzig. Mr Marble dachte an die sechzig Pfund, die er zum Investieren hatte, und der Mund wurde ihm ganz wässrig.

Doch es folgte eine trostlose Woche auf die nächste, und nichts konnte getan werden. Die Devisenbörse schien völlig verrückt geworden zu sein. Die Mark war auf Millionen abgestürzt, so wie es vor zwei Jahren der Österreichischen Krone ergangen war. Für die Lira schien sich derselbe Weg abzuzeichnen. Das Pfund Sterling kämpfte sich nur an der New Yorker Börse auf den Vorkriegskurs zurück. Und selbst der Franc sank beständig. Vor dem Krieg hatte er bei etwas mehr als 25 gestanden, jetzt bei über einhundert; und er wurde langsam immer weiter und weiter herabgedrückt. Mr Marble beobachtete den Börsenmarkt und zögerte. Wenn auch der Franc und die Lira, genau wie die Mark, in einem Crash abstürzen würden und ein kluger Mann zuvor verkauft hätte, dann könnte dieser mit einem Gewinn rechnen, der in die Tausende Prozent ging. Und die Börsenmakler, mit denen Mr Marble sich im Laufe seiner täglichen Pflichten am Telefon unterhielt, schienen es alle für wahrscheinlich zu halten. In der Abteilung für Devisengeschäfte in der Zentrale der National County Bank waren die Angestellten ebenfalls alle davon überzeugt. Manche von ihnen hatten schon mithilfe von Freunden, den Angestellten von Börsenmaklerfirmen, durch vorsichtige Spekulation kleinere Geldbeträge gemacht. Sie hatten winzige Beträge im Voraus verkauft, waren danach fluchtartig sofort wieder ausgestiegen und verfluchten dann ihre Mutlosigkeit, als der Franc immer noch weiter fiel. Mr Marble sah all das und geriet in Versuchung. Zweimal wagte er es beinahe, doch jedes Mal hielt ihn sein scharfes Urteil zurück, das immer irgendwo im Hintergrund nur darauf wartete, herbeigerufen zu werden. Es steckte immer irgendwo irgendeine Unsicherheit.

Und eines Vormittags geschah es dann. Das Schicksal warf eine Chance in Mr Marbles Reichweite und erwartete von ihm als Gegenleistung nur, dass er sich die Mühe machte, sie zu ergreifen.

Es war zehn Uhr vormittags. Mr Marble saß an seinem Schreibtisch, der am weitesten vom Eingang des Raumes entfernt stand und direkt neben dem abgetrennten Kabuff, das die vornehme Würde Hendersons beherbergte, des Leiters der Abteilung. Vor Mr Marble lagen die geöffneten Briefe, die die Korrespondenzabteilung herübergeschickt hatte, und er überflog sie routinemäßig, um sich zu versichern, dass nichts darin stand, mit dem die Abteilung nicht auch fertig werden würde, ohne Mr Henderson zu belästigen, oder sogar noch höhere

Vorgesetzte. Es waren alles nur die üblichen Briefe; hauptsächlich Mitteilungen von den verschiedenen Zweigstellen auf dem Kontinent über ausgegebene Kredite und gezogene Wechsel. Nichts von Wichtigkeit; die Angestellten der Abteilung konnten sie fast alle bearbeiten. Vier pickte er heraus, die er selbst würde beantworten müssen; zwei mussten Henderson vorgelegt werden. Der letzte Brief war der gewöhnlichste von allen. Es war der zweimal in der Woche eintreffende Brief der Pariser Zweigstelle, der die bereits per Telegramm und per Telefon mitgeteilten Tätigkeiten noch einmal bestätigte. Mr Marble sah ihn durch. Noch immer war darin nichts weiter Interessantes zu entdecken. Die Pariser Angestellten hatten erstaunlicherweise einmal keine Fehler beim Dechiffrieren der Telegramme gemacht. Alles war genau so ausgeführt worden wie angewiesen, und es würden nicht eilig Telegramme geschickt werden müssen, um irgendwelche dummen Schnitzer rückgängig zu machen. Keine Fälschungen, keine Fehler. Dennoch las Mr Marble den Brief bis zu Ende, weil er den Mann, der ihn geschrieben hatte, persönlich kannte; es war Collins, der einige Jahre lang unter ihm in ebendieser Abteilung gearbeitet hatte, bevor er nach Paris geschickt wurde. Er war ein redegewandter Bursche – ein »redseliger«, wie Mr Marble bei sich dachte –, und seine Redegewandtheit machte sich selbst in dieser offiziellen Korrespondenz bemerkbar, denn am Ende des Briefes hatte er einen Absatz hinzugefügt, der nach allen Regeln der Kunst völlig unnötig war. Er war recht kurz gehalten für Collins und besagte nur, dass der französische Franc in Zukunft größere Stabilität zeigen könnte, weil es Gerüchte gebe, die Regierung werde die Sache selbst in die Hand nehmen und sich vielleicht sogar darauf verlegen, sich an die Londoner Börse »zu koppeln«.

Mr Marble legte den Brief hin und blickte durch das

schmutzige Fenster auf die wenig einladende Aussicht eines anderen schmutzigen Fensters auf der gegenüberliegenden Seite des Luftschachts. Da war vielleicht etwas dran. Der Franc stand an diesem Morgen einen Punkt höher als gestern bei Handelsschluss. So viel sagte dem im Devisengeschäft geschulten Angestellten sein Wissen – Mr Marble konnte nach zwei Minuten Bedenkzeit die Wechselkurse an allen Börsen zu jeder Zeit in den letzten beiden Jahren nennen –, doch Mr Marble war, auch wenn es seltsam erscheinen mag, zu mehr als nur dazu fähig, wenn er denn genügend angeregt wurde. Wenn die Französische Republik aktiv einen Abbau der Devisenreserven im Land betriebe, würde sie mehr tun, als den Franc nur zu stabilisieren. Mr Marble erinnerte sich plötzlich an eine nebulöse Idee, die ihm vor einiger Zeit in einem Tagtraum gekommen war, als er sich die besten Mittel ausmalte, die so etwas herbeiführen könnten. Er ließ sich die Idee durch den Kopf gehen. Wenn sie *das* wirklich täten, würde der Franc sich an der Devisenbörse geradezu sprunghaft erholen. Er würde spielend auf sechzig gehen; ja, er könnte sogar fünfzig oder vielleicht sogar auch vierzig erreichen. Aber besser als vierzig würde er nie stehen, entschied Mr Marble, der die Chancen mit einer Klarheit der Wahrnehmung abwog, die ihn selbst erstaunt hätte, wenn er denn darüber nachgedacht hätte. Höchstwahrscheinlich würde er sich um die sechzig herum einpendeln.

»Wie steht Paris im Moment, Netley?«, fragte er einen vorbeigehenden Untergebenen.

»Eins-neunzehn, eins-siebzehn«, erwiderte Netley über seine Schulter hinweg und eilte weiter in der Hoffnung, dass Mr Marble bemerken möge, dass er absichtlich nicht »Sir« gesagt hatte.

Wieder um zwei Punkte gestiegen, dachte Mr Marble. Vielleicht lag doch eine gewisse Wahrheit in den wilden Theorien, die ihm durch den Kopf geschossen waren. Aber andererseits könnte es auch nur eine der periodisch und zeitlich begrenzt auftretenden Erholungen sein, die recht üblich waren. Der Preis könnte jeden Augenblick wieder absacken. Wenn Mr Marble sich zum Kauf entschließen würde, könnte es ihm passieren, dass er zu Beginn eines Kursfalls gekauft hatte statt zu Beginn eines Kursanstiegs. Und wenn er auf Marginbasis kaufte – Mr Marble hatte bereits einen Plan im Kopf, der ihm genau das ermöglichen könnte –, dann würde der unausweichliche Verfall um zehn Punkte ihn um neunzig Prozent seines Kapitals berauben. Andererseits wiederum – Mr Marbles albernes Herz schlug schon wieder heftig klopfend gegen seine Rippen – würde die Art von Kursanstieg, die er für möglich hielt, ihm beinahe das Hundertfache des investierten Betrags einbringen. Es gelang Mr Marble, trotz seines klopfenden Herzens einen vollkommen klaren Kopf zu bewahren, genau so wie an jenem denkwürdigen Abend vor einigen Monaten. Es war eine Chance. Mr Marbles Kopf trug all die winzigen Anzeichen zusammen, die er in den letzten Wochen unaufgefordert gesammelt und aufbewahrt hatte. Es war mehr als eine Chance. Es war eine Gewissheit, entschied dieser klare Kopf.

Dennoch spürte Mr Marble, wie er vor Aufregung ganz rote Wangen bekam, und sein Herz klopfte unerträglich, als er von seinem Stuhl aufstand und aus dem Büro hinausging, um eine Gelegenheit zu ergreifen, die eine der bedeutsamsten seines Lebens werden sollte. Selbst sein Gang war ein wenig unsicher, so sehr lastete die Anspannung auf ihm, und die jüngeren Angestellten, an denen er auf seinem Weg zur Tür vorbeigehen musste, stießen einander amüsiert an, als sie ihn sahen.

»Der gute Marble mal wieder auf dem üblichen Weg«, sagten sie. »Bisschen früh selbst für ihn. Muss gestern Abend ganz schön besoffen gewesen sein.«

Gleich um die Ecke war ein Pub, und dorthin lenkte Mr Marble seine Schritte, genau so – das sei zugegeben – wie er es schon oft zuvor getan hatte. Die junge Frau hinter dem Tresen kannte ihn, und der doppelte Scotch stand schon für ihn bereit, noch bevor er in dessen Reichweite gelangt war. Doch Mr Marble kippte ihn nicht wie üblich hinunter und verlangte nach einem weiteren. Stattdessen zog er sich, das Glas in der Hand, auf eine Sitzbank hinter einem Tisch zurück und saß wartend da, unerbittlich wartend, während das Herz ihm bis in die Fingerspitzen klopfte, sodass seine Hände zitterten. Das Pub war eben erst geöffnet worden, und unablässig strömten irgendwelche Gäste herein, Börsenmakler und Büroangestellte, Männer, die ohne Lizenz illegal Wetten an den Straßenecken anboten, die ganze seltsame Ansammlung von Leuten, die sich am Vormittag eines Wochentags in einem Pub fünfzig Meter von der Threadneedle Street entfernt eben so einfanden.

Ein paar Mal kamen Männer herein, die er kannte, und nickten, doch Mr Marble war nicht freundlich aufgelegt. Das Nicken, mit dem er ihren Gruß erwiderte, beinhaltete nicht die Einladung, sich zu ihm auf die Bank zu setzen und den Tisch mit ihm zu teilen. Höchstwahrscheinlich hätte ohnehin keiner von ihnen eine solche Einladung angenommen, wenn es nicht unvermeidlich gewesen wäre. Mr Marble blickte weiter starr auf die Schwingtüren.

Und dann tat Mr Marbles Herz einen krampfartigen Satz. Plötzlich war ihm übel vor Angst, Angst vor der Zukunft. Jetzt endlich stand ihm sein Plan konkret vor Augen, und nicht mehr nur in der so wohltuend abstrakten Form. Einen unbeherrschten Augenblick lang dachte er an Flucht, daran, die ganze Sache aufzugeben. Er wusste, dass es möglich war. Er könnte sich noch jahrelang weiter durchs Leben schlagen, auch ohne die Hilfe, die der unwahrscheinliche Erfolg in diesem risikoreichen Unterfangen ihm bringen würde. Doch Mr Marble schob die Versuchung beiseite und verfolgte die Sache mit erbitterter Entschlossenheit weiter. Er winkte Saunders zu sich heran, den Mann, dessen Eintreten diesen letzten inneren Aufruhr in ihm ausgelöst hatte.

Saunders hielt seinen Drink in der Hand; er hatte am Tresen die Männer, die er kannte, begrüßt und warf jetzt einen Blick durch den Raum, um sich zu versichern, dass er keinen übersehen hatte.

Er war ein stämmiger Mann mittlerer Größe, von rosiger Gesichtsfarbe und wohlhabend wirkendem Aussehen. Marble war ihm flüchtig bekannt; was heißen soll, dass er sich schon ein Dutzend Mal in diesem Pub mit ihm unterhalten hatte. Und ihm war ebenfalls bekannt, dass Marble für die National County Bank arbeitete, deren Dienste er selbst nutzte, aber das war auch schon alles. So war er verständlicherweise ein wenig erstaunt, als Marble ihn heranwinkte, doch Saunders war darauf bedacht, zu jedem, der ihn ansprach, freundlich zu sein, da sein Lebensunterhalt nun einmal vom guten Willen der Leute abhing. Saunders war ein Buchmacher, der in einem winzigen Büro im fünften Stock nahe der Old Broad Street saß und seine Geschäfte fast ausschließlich am Telefon erledigte oder mithilfe jener Männer, die um die Mittagszeit in der Nähe der Straßenecken herumstanden.

Mit seinem Glas in der Hand ging Saunders zu dem Tisch hinüber, genau so, wie Marble es zuvor getan hatte, und fast ohne es zu bemerken, nahm er ihm gegenüber Platz. Marbles Verhalten hatte etwas an sich, das es unausweichlich zu machen schien, dass er sich setzen sollte.

»Nun«, sagte Saunders gut gelaunt, »wie steht's?«

»Recht gut«, erwiderte Marble. »Hätten Sie mal eben zehn Minuten Zeit?«

Saunders bejahte dies, wenn auch etwas reumütig, denn er hatte zunächst angenommen, dass dieses Gespräch lediglich auf den Wunsch hinauslaufen würde, ein Kreditkonto bei ihm einzurichten, kam jetzt aber, da Marbles Verhalten so gar nicht darauf hindeutete, zu der anderen Schlussfolgerung, dass er sich eine »Jammergeschichte über die Härte des Lebens« würde anhören müssen. Saunders' Erfahrung nach taten Männer untereinander nichts anderes als Wetten abschließen und Geld leihen.

»Sie sind doch Kunde der National County, nicht wahr?«, begann Marble.

»Da haben Sie recht.«

»Und Sie wissen, dass ich dort arbeite?«

»Da haben Sie wieder recht. Was ist denn los? Macht die Bank etwa pleite? Ist mein Konto überzogen?« Saunders war ein cleverer Mann; es bestand nicht die geringste Gefahr, dass die National County zahlungsunfähig werden würde, und Saunders' Kontostand war niemals niedriger als vierhundert Pfund. Doch Marble lächelte kaum. Stattdessen sah er mit seinen düster blickenden blauen Augen direkt in Saunders' braune.

»Nein«, sagte er; und fügte dann langsam hinzu: »Ich will ein Geschäft einfädeln, und dazu brauche ich die Hilfe eines Kunden der Bank. Sie wären geeignet, aber ich kann mir natürlich auch einen anderen suchen, wenn Sie nicht einsteigen wollen.«

»Da könnten Sie wieder recht haben«, sagte Saunders, doch jetzt war er schon nicht mehr so voller Leichtfertigkeit. Erstaunt dachte er darüber nach, wovon Marble wohl sprechen mochte. Entweder war dieser schäbige alte Knabe plemplem, oder er wollte irgendwelche illegalen Wetten abschließen. Wie auch immer, Saunders würde sich nicht darauf einlassen. Saunders war ein gesetzestreuer Mann, mal abgesehen davon, dass er andere zum Anbieten illegaler Wetten auf der Straße anstiftete. Und dennoch ... und dennoch ...

»Wollen Sie es sich anhören?«, fragte Marble hartnäckig. Er hatte sich genauso gut im Griff wie in dem Augenblick, als er Medland jenes Glas Whisky gereicht hatte, doch es war furchtbar anstrengend. Seine Zuversicht überwältigte Saunders' Skepsis schließlich.

»Nur zu«, sagte Saunders, fügte jedoch hastig hinzu: »Das heißt aber nicht, dass ich dabei bin.«

»Gut. Aber ich will Ihr Wort, dass Sie darüber Schweigen bewahren, wenn Sie nicht einsteigen.«

Saunders gab es ihm. Und auf das Wort eines Buchmachers verlässt man sich in ganz England.

»Ich habe bestimmte Informationen. Die eine Menge Geld wert sein können, wenn man sie richtig nutzt.«

»Informationen über Pferderennen?« Es lag ein Anflug von Spott in Saunders' Stimme; die Hälfte seines Einkommens stammte aus der Tasche von Leuten, die Informationen über Pferderennen hatten.

»Nein. Über die Devisenbörse.«

»Ich weiß kaum, was das ist.«

»Ja«, sagte Marble. »So geht's vielen Leuten.«

»Oh, ein bisschen schon«, meinte Saunders, eifrig bedacht darauf, seine Reputation zu wahren. »Ich weiß natürlich, wie sehr die Mark gefallen ist, fast bis ins Bodenlose, und ... und ... all diese Sachen eben.«

Irgendwie hatte sich in diesen wenigen Minuten moralisch der Spieß umgedreht. Jetzt hatte zweifellos Marble Aufwind.

Auch wenn dieser Wandel natürlich größtenteils dem Umstand geschuldet war, dass sich das Gespräch um ein Thema drehte, über das er viel wusste und der andere nichts. Andererseits muss aber zugegeben werden, dass jene undefinierbare Sache namens »Persönlichkeit« hier auch mit hineinspielte. Marble wandte all seine Stärke auf, um Saunders ganz unauffällig zu beeinflussen, und er hatte Erfolg damit. Männer sind zu vielem fähig, wenn es sein muss.

»Nun«, sagte Marble, der düstere Blick steinhart, »der Franc wird steigen, und jetzt ist der richtige Zeitpunkt, um zu kaufen.«

Jetzt war das Geheimnis heraus. Saunders könnte ihn jetzt mit Leichtigkeit betrügen. Aber Marble, der den Blick nicht von Saunders abwandte, war sich sicher, dass er es nicht tun würde.

»Ich will nicht behaupten, dass Sie da nicht recht hätten«, begann Saunders. »Aber wo ist nun das Geschäft? Wo trete ich da auf den Plan? Und wo Sie?«

»Es ist so«, sagte Marble und legte seine Karten offen auf den Tisch, so sicher war er sich. »Es bringt nicht viel ein, jetzt einfach nur Franc zu kaufen. Das könnte ich bei einer Bank gleich nebenan auch selbst tun. Aber auf diese Weise macht man nicht allzu viel Geld. Diesmal wären vielleicht hundert Prozent drin, aber das ist natürlich nicht gut genug.«

»Natürlich nicht«, sagte Saunders eingeschüchtert.

»Am besten macht man so was mit einem ›Termingeschäft‹. Das bedeutet, Sie müssen zehn Prozent hinterlegen.«

»Auf Marginbasis«, warf Saunders ein, stolz auf dieses kleine bisschen Jargon, das er bei seinen häufigen Besuchen in den Pubs im Londoner Finanzviertel aufgeschnappt hatte.

»Genau. Auf Marginbasis. Das bedeutet, dass ein Anstieg des Franc um fünf Prozent Ihnen einen Gewinn von fünfzig

Prozent beschert. Und wie ich schon sagte, diesmal könnte es sich um einen Anstieg um hundert Prozent handeln. Das wären dann eintausend Prozent Gewinn – zehn zu eins, mit anderen Worten«, fügte Marble hinzu, Saunders' Eifer konternd.

Saunders durchblickte das Ganze nur schemenhaft.

»Aber jetzt verstehe ich nicht mehr, warum Sie mir das alles erzählen«, sagte er. »Warum tun Sie es dann nicht einfach? Warum überhaupt irgendwem davon erzählen?«

»Weil es mir nicht erlaubt ist, für mich selbst in der Bank ein Termingeschäft abzuschließen. Man muss legitime Gründe vorweisen können, warum man dies zu tun wünscht.«

»Und welche Gründe sollte *ich* haben?« Saunders ließ sich rasch in das Netz hineinziehen.

»Oh, ganz einfach. Sie könnten doch leicht irgendwelche Geschäftsinteressen in Frankreich haben, oder? Schließen Sie nie Wetten auf französische Pferderennen ab?«

»Natürlich, manchmal schon.«

»Und schicken Sie nie Geld nach Frankreich?«

»Nun ja, ein paar Mal habe ich das schon gemacht.«

»Das ist gut. Wenn Sie der Bank nun sagen, dass Sie Franc kaufen wollen, wird man Ihnen auf jeden Fall glauben. Und Sie sind ohnehin beliebt in der Bank. Sie lassen immer einen großen Geldbetrag auf Ihrem Konto liegen, und jeder, der so was tut, ist beliebt.«

Saunders versuchte sich immer noch gegen den hypnotischen Einfluss zu wehren, der ihn zu überwältigen begann.

»Erzählen Sie mir doch mal etwas mehr über diesen Trick mit dem ›Termingeschäft‹«, bat er noch zögernd, aber doch schon in dem Wissen, dass er sich in einer Minute für den einen oder den anderen Weg entscheiden müsste, in dem Wissen, dass er sich Marbles Plänen höchstwahrscheinlich anschließen würde, und auch in dem Wissen, dass er es eigentlich nicht wollte. »Was genau müsste ich da denn tun?«

Marble erklärte es ihm sorgfältig, ja bläute es ihm mit penibler Sorgfalt geradezu ein. Dann warf er seinen letzten Köder aus. Er schilderte ihm, dass ein Mann, dessen Gewinn auf ein läppisches Fünffaches des Einsatzes gestiegen sei und der die Kühnheit besitze, sowohl den Gewinn als auch den Einsatz erneut ins Geschäft hineinzustecken, dass ein solcher Mann also zu dem Zeitpunkt, zu dem die gekaufte Währung doppelt so hoch stehe wie zu Beginn, einen Gewinn nicht nur von zehn, sondern von fünfunddreißig Einheiten mache.

Saunders kratzte sich heftig den Kopf.

»Wollen Sie noch was, was trinken Sie denn da?«, fragte er, gab der jungen Frau hinter dem Tresen aufgeregt Zeichen und beugte sich dann erneut vor, um die Details noch einmal durchzugehen. Marble hatte sich mit kühler Berechnung genau den richtigen Mann ausgesucht. Ein Buchmacher verdiente seinen Lebensunterhalt mit dem Glücksspiel anderer Leute, doch selbst mit diesem praktischen Beispiel stets vor Augen gibt es niemanden auf der Welt, der so bereitwillig um Geld spielt – bei allem, was nichts mit dem Pferdesport zu tun hat.

Doch Saunders unternahm noch einen letzten verzweifelten Versuch, sich aus der Sache herauszuwinden. Er sagte, dass er Marble letzten Endes ja eigentlich gar nicht kenne.

»Woher soll ich wissen, dass alles mit rechten Dingen zugeht?«, fragte er. Man konnte fast Mitleid mit ihm haben.

»Irgendwie anders kann's doch gar nicht zugehen, oder?«, erwiderte Marble, und die Herablassung in seinem Ton war für Saunders nur weiterer Ansporn. »*Ich* werde nicht in der Lage sein, Ihr Geld zu klauen, oder doch? Es wird alles auf Ihrem Konto liegen, oder nicht? Wenn es nicht mit rechten

Dingen zuginge, würde für mich ja gar nichts dabei herausspringen.«

Saunders hatte dies erkannt, sobald die Worte seinen Mund verlassen hatten, und er entschuldigte sich. Mr Marble, dem die Hoffnung kochend durch die Adern schoss, zeigte sich sehr gnädig.

»Und, was soll denn für Sie dabei herausspringen?«, fragte der unglückselige Saunders.

»Zehn Prozent von dem, was Sie dabei machen«, sagte Marble kompromisslos. »Und natürlich werde auch ich ein bisschen was einsetzen.«

»Wie viel?«

»Sechzig Pfund.« Mr Marble zog ein Bündel Fünf-Pfund-Scheine hervor – die letzten jener, die er mit solcher Vorsicht eingewechselt hatte. Jetzt warf er alle Diskretion über Bord. Wenn diese Scheine je bis zu ihm zurückverfolgt werden würden, dann wäre es eben sein eigener Fehler; es blieb keine Zeit für komplizierte Manöver zum Geldwechseln mehr.

Saunders nahm sie halb unfreiwillig entgegen.

»Eigentlich«, sagte Mr Marble, »würde ich gern mehr als das einsetzen. Ich habe es im Moment nur nicht bei mir. Ich könnte es bis morgen beschaffen. Aber morgen ist es schon zu spät.«

Unter diesem düsteren, auf ihn gehefteten Blick und mit dem beruhigenden Gefühl dieser Fünf-Pfund-Scheine in der Hand konnte Saunders nicht anders, als das unvermeidliche Angebot zu machen.

»Danke«, sagte Marble. »Also, jetzt erkläre ich Ihnen mal, wie wir vorgehen werden. Setzen Sie vierhundert ein. Zweihundert davon sind Ihr Geld. Das da sind meine sechzig. Und die anderen eins-vierzig leihen Sie mir dann. So sind wir gleich auf.«

Saunders stimmte hilflos zu.

»Die Zeit bleibt nicht stehen«, sagte Mr Marble mit einem Blick auf die Uhr. »Wir sollten die Sache besser angehen. Ich kann Ihnen auch auf dem Weg zur Bank noch erklären, wie wir vorgehen werden.«

Wie in einem Traum befangen stand Saunders vom Tisch auf und folgte ihm aus dem Pub hinaus. Die frische Luft draußen belebte ihn immerhin so sehr, dass er sich daran erinnerte, Marble zu fragen, wie er eigentlich so sicher sein könne, dass der Franc steigen würde.

»Ich weiß es nun mal«, sagte Marble ganz beiläufig. Er konnte sich diese Beiläufigkeit erlauben, so sicher war er sich seiner selbst, und vor allem, so sicher war er sich Saunders'.

Und Saunders ergab sich dem Mann mit dem überlegenen Wissen. Er wäre in verächtliches Gelächter ausgebrochen, wenn ein Mann ihm gesagt hätte, dass er zweihundert Pfund auf das Lieblingspferd eines flüchtigen Bekannten setzen wolle; und er hätte sich vor Schadenfreude auf dem Boden gewälzt, wenn er erfahren hätte, dass ebendieser Mann noch weitere einhundertvierzig Pfund riskieren wollte, indem er auch für seinen Bekannten auf dieses Pferd setzte; doch dies hier war nicht die Welt der Pferderennen, in der er sich gründlich auskannte. Es war die Welt der Finanzen – die Welt der Hochfinanz –, was ihn mit Ehrfurcht erfüllte und zugleich einschüchterte.

Marble war eben mit seinen Erklärungen fertig, als sie den Haupteingang der National County Bank erreichten.

»Gehen Sie hinein und sagen Sie, dass Sie Franc kaufen wollen, per Termingeschäft. Dann wird man Sie in meine Abteilung schicken, machen Sie sich also keine Sorgen. Ich werde da sein. Vielleicht wickle sogar ich das Geschäft für Sie ab. Aber man wird Sie vermutlich zu Henderson führen. Oh, ja, und vergessen Sie nicht, was auch immer Sie tun, rufen Sie mich heute und auch morgen zwei- oder dreimal an. Lassen Sie sich in die Devisenabteilung durchstellen, und dann fragen Sie nach mir. Es ist ganz egal, was Sie sagen. Sagen Sie einfach ... Was sagen Sie gleich wieder, wann immer Sie jemanden im Pub treffen? ›Hallo, altes Haus, wie geht's?‹ Und legen Sie nicht sofort wieder auf; sagen Sie von mir aus ›Moneten, Moneten, Moneten‹, wenn Ihnen nichts anderes einfällt. Das dient nur dazu, mir die Berechtigung zu erteilen, das Geld umzuschichten, wenn es nötig sein sollte. Haben Sie das alles verstanden? Also dann. Auf Wiedersehen.«

Benommen und beklommen ging Mr Saunders mit weichen Knien in die National County Bank hinein. Mr Marble ging weiter bis zum Nebeneingang, von wo aus neben anderen Abteilungen auch seine eigene zu erreichen war. Der Schweiß lief ihm in Strömen herunter; eine kurze Zeit lang war er ein Meister des Universums gewesen; er hatte einen völlig rationalen Mann dazu verleitet, etwas gänzlich Unerwartetes zu tun; er hatte mit dem Schicksal gespielt und er hatte gewonnen; und eine Weile lang hatte er den unbändigen Jubel des Erfolgs empfunden. Er hatte etwas getan, das er gewiss nicht getan hätte ohne den nachdrücklichen Anstoß, den er ... einer gewissen Taktlosigkeit an einem stürmischen Abend vor einigen Monaten verdankte, doch die Dämonen waren ihm mit schrecklicher Geschwindigkeit auf den Fersen. Er ging mit schleppendem Schritt, als er die Devisenabteilung betrat. Er wirkte, und fühlte sich, unaussprechlich erschöpft. Die jungen Angestellten stießen einander wieder an, als er an ihnen vorbeiging.

»Der gute Marble hat jetzt schon wieder so viel intus, wie reingeht. Müsste eigentlich jeden Tag so weit sein, dass er gefeuert wird. Mal sehen, ob's dazu kommt.«

Und Marble, der todesmüde war, erschöpft vor Angst und ganz ausgelaugt von seinem Herzklopfen, schlurfte wie ein gebrochener Mann zu seinem Schreibtisch und vergrub das Gesicht in den Händen.

5

Mr Marble zahlte. Er zahlte mit einem Zustand qualvoller Erschöpfung, an der er litt, als er an diesem Tag auf dem Weg nach Hause über die London Bridge ging, als er todmüde in seinem Vorstadtzug stand und danach in dem Bus, der ihn vom Bahnhof nach Hause brachte, und als er in der Malcolm Road 53 im hinteren Zimmer saß.

Das war eine neue Angewohnheit, dieses Herumsitzen im kleinen »Wohnzimmer« statt im Esszimmer. Im Wohnzimmer war das Licht schlecht und die Möbel waren sogar noch trister als die im Esszimmer; und weil sie im Winter das Kaminfeuer stets im Esszimmer anschürten, hatte die Familie es sich angewöhnt, die ganze Zeit dort zu verbringen. Doch nun saß Mr Marble im Wohnzimmer. Und tat dort kaum etwas. Er las, das stimmt, in den Büchern, die er jetzt regelmäßig aus der öffentlichen Bibliothek auslieh – Bücher über Verbrechen, sogar den nicht enden wollenden Lombroso –, aber er las nur in Abständen. Fast die Hälfte der Zeit brachte er damit zu, aus dem Fenster auf das kahle Blumenbeet hinauszuschauen. Auf diese Weise fühlte er sich wohler. Dann musste er sich keine Sorgen machen, dass ein Hund aus der Nachbarschaft dort herumstreunte. Mr Marble hatte gelesen, dass Hunde im Périgord bei der Suche nach Trüffeln eingesetzt werden, und er hatte Angst.

Außerdem gab es verschiedene Kinder in der Nachbarschaft, die dafür bekannt waren, in fremde Gärten zu klettern, wenn versehentlich einer ihrer Bälle dort gelandet war. Damit hatten sie inzwischen aufgehört. Früher hatte Mr Marble nichts dagegen unternommen, doch in der letzten Zeit hatte er sie zwei-, dreimal dabei erwischt und war in blinder, wortloser Wut hinausgerannt. Die Kinder hatten sein Gesicht gesehen, als er stumm den Mund aufriss, und diese Erfahrung hatte ihnen gereicht. Kinder erkennen solche Dinge klarer als ihre Eltern, und sie betraten Mr Marbles Garten nie wieder. Den Nachbarn war Mr Marbles eifersüchtiges Wachen über seinen Garten ein einziges Rätsel. Denn wie sie ganz richtig sagten, pflanzte er dort ohnehin niemals etwas an. Die Gartenarbeit wäre wohl auch kaum ein Hobby für einen Mann von Mr Marbles Naturell gewesen, und der Garten von Nummer 53 hatte mit all seinem dürren Unkraut schon immer einen unerfreulichen Gegensatz zu denen in seiner Nähe gebildet.

Immerhin hatten die Nachbarn so einen gewissen Grund, sich ihm einmal überlegen zu fühlen. Sie alle hielten Mr Marble für einen unerträglichen Snob. Er schickte seine Kinder beide auf eine Realschule – mit Stipendien zwar, das stimmt, und auch erst nach einigen Jahren an der normalen Volksschule –, während ihre Kinder im Alter von vierzehn Jahren begannen, für ihren Lebensunterhalt zu arbeiten, und er trug eine Melone, während die Männer der Nachbarschaft Schiebermützen trugen. Keiner von ihnen konnte Mr Marble leiden, auch wenn sie alle Mitgefühl für Mrs Marble hatten. »Die Ärmste, er behandelt sie wirklich wie den Dreck unter seinen Füßen.«

Es war ein wohltuendes Gefühl, dass dieses Scheusal die gleichen Schwierigkeiten hatte wie sie und manchmal sogar, genau wie sie, seine Miete nicht zahlen konnte; das hatte der Mietkassierer ihnen zumindest erzählt.

Mr Marble verbrachte den Abend im Wohnzimmer der

Malcolm Road 53 sitzend; auf seinem Schoß lag das zuletzt aus der öffentlichen Bibliothek ausgeliehene Buch über Verbrechen. Es war sehr interessant – ein ›Handbuch für Medizinische Jurisprudenz‹. Bis er es zu lesen begann, hatte Mr Marble nicht einmal gewusst, was »Medizinische Jurisprudenz« ist, doch sie faszinierte ihn mehr und mehr. Die Zeiten, die er damit zubrachte, aus dem Fenster zu schauen, wurden kürzer und kürzer, während er alles über das gerichtliche Vorgehen zur Untersuchung von Todesursachen las, und über Methoden, wie man herausfand, ob eine aus dem Wasser gezogene Leiche erst nach dem Tod dort hineingelegt worden war oder nicht, und über die gesetzlich vorgeschriebenen Bedingungen, die es einzuhalten galt, wenn man einen Menschen für wahnsinnig erklären lassen wollte. Dann blätterte er weiter zu dem Kapitel »Toxikologie«. Er las alles über die verbreiteten Gifte, Salzsäure, Bleizucker, Karbolsäure; und nach diesen wandte sich das Buch den selteneren Giften zu. Die zuerst erwähnten waren, und dieser Ehrenplatz war ihnen vermutlich aufgrund ihrer äußerst tödlichen Wirkung zuerkannt worden, Blausäure und die Gruppe der Cyanide. Die Ausführungen über die Cyanide waren besonders interessant:

»Der Tod tritt praktisch sofort ein. Der Betroffene stößt einen lauten Schrei aus und stürzt schwer; eventuell tritt ihm Schaum vor den Mund. Nach dem Tod bewahrt die Leiche oft den Anschein von Leben, da die Wangen rosig sind und der Gesichtsausdruck unverändert.

Behandlung –«

Doch über die Behandlung wollte Mr Marble nichts wissen. Es war ohnehin leicht zu erkennen, dass es nur selten eine Gelegenheit geben würde, einen mit Cyanid Vergifteten zu behandeln. Eigentlich wollte er das Buch danach überhaupt nicht mehr weiterlesen. Es ließ sein dummes Herz schon wieder viel zu schnell klopfen, sodass er Schwierigkeiten mit dem Atmen bekam und seine Hand zitterte wie die Unruh in einer Armbanduhr. Und außerdem hatte das Buch einen unerfreulichen Gedankenstrom in ihm ausgelöst, der ihn erneut in den Garten hinausschauen ließ, nur jetzt im Dämmerlicht, am Ende des Tages, wobei ihn das blanke Entsetzen ergriff.

Er wusste inzwischen sehr viel mehr über Verbrechen als noch zu jener Zeit, da er zum Verbrecher wurde. Er wusste, dass neun Mörder von zehn nur aufgrund irgendwelcher dummen Fehler entdeckt wurden. Selbst wenn sie bei der Planung der Tat äußerst sorgfältig vorgingen und sie diese erfolgreich durchführten, unterlief ihnen irgendein dummer Schnitzer, der sie verriet. In manchen Fällen flogen sie auch durch irgendeinen unglücklichen Zufall auf. Im Allgemeinen durch den Klatsch von Nachbarn, aber manchmal auch einfach durch die unersättliche Neugier einer eigentlich unbeteiligten Person. Mr Marble konnte sich immerhin darauf verlassen, dass es keinen Klatsch gab. Niemand wusste, dass der junge Medland ihn an jenem Abend zu Hause besucht hatte. Und ihm waren keine Schnitzer unterlaufen. Nur irgendein Ereignis, das nicht in seiner Macht stand, könnte ihn verraten. Wie zum Beispiel? Und er hatte in Gedanken auch sogleich eine Antwort parat – wenn jemand anders in dieses Haus einziehen würde, nachdem er hinausgeworfen worden war, *jemand mit einer Vorliebe für Gartenarbeit.* Komme, was da wolle, er durfte nicht aus der Malcolm Road 53 hinausgeworfen werden. Aber das könnte mittlerweile jeden Augenblick passieren. Seine gequälten Gedanken rasten wie der Schiffspropeller eines Dampfschiffes in schwerer See. Angenommen, der Franc fiel! Er würde all sein Geld verlieren, aber das wäre nur ein Teil seines Verlusts, und auch noch der geringfügigste. Denn Saunders würde sich über seinen Verlust beschweren, vielleicht sogar bei der Geschäftsführung der Bank, aber gewiss auf eine Weise, dass es den höheren Vorgesetzten zu Ohren käme. Dann würde Marble seinen Job verlieren – nicht möglicherweise, sondern ganz gewiss. Und dann – ein paar Wochen Gnadenfrist vielleicht, und dann würde er, wenn die Miete nicht gezahlt worden war, aus dem Haus hinausgeworfen werden. Und danach würde alles seinen unausweichlichen Gang gehen. Mr Marble schauderte unkontrolliert. Alles hing vom Franc ab. Ein Teil von Mr Marbles fiebrigen Gedanken begann sich erneut durch all die gesammelten Anzeichen zu wühlen, die ihn zu der Auffassung geführt hatten, dass der Franc steigen würde; ein anderer Teil begann bitter zu bereuen, dass er sich je auf ein solch absurdes Risiko eingelassen und seine vorläufige Sicherheit – nach der er sich bereits wieder zu sehnen begann – überstürzt durch eine wilde Suche nach einer dauerhaften aufs Spiel gesetzt hatte. Vielleicht war dies sein Schnitzer, so wie Crippens Flucht auf den Kontinent. Vielleicht würde er deshalb mit der Schlinge um den Hals am Galgen baumeln, bis er tot war. Der Autor des anderen Buches, das über die berühmten Verbrecher, war auf abstoßende Weise stolz gewesen auf diese Formulierung. Mr Marble schauderte erneut.

Mr Marble blieb bis spät in die Nacht in dem kleinen Wohnzimmer sitzen – eigentlich sogar bis in die frühen Morgenstunden hinein, ohne die Mahnungen seiner Ehefrau zu beachten, ja er hörte sie kaum, denn mit dem einen Teil seiner Gedanken versuchte er zu ergründen, wie die Chancen für einen Kursanstieg des Franc stehen mochten, und mit dem anderen, wie die Chancen dafür, dass er einer Verhaftung entging. Am Ende des ›Handbuchs für Medizinische Jurisprudenz‹ fand Mr Marble noch einige schaurige Details, die ihn ebenso interessierten wie sie ihn entsetzten. Dort ging es um die Möglichkeiten der Identifizierung einer Leiche, nachdem diese schon längere Zeit begraben gewesen war.

Um halb acht am nächsten Morgen hörte Mr Marble, der bereits wieder wach war – er schien neuerdings kaum noch zu schlafen –, wie die Zeitung durch den Briefschlitz in der Haustür geschoben wurde. Er stieg aus dem Bett und tappte barfuß und im Schlafanzug hinunter. Das Haus war noch sehr still, und es erschien ihm, als würde das Klopfen seines Herzens es erschüttern. Es war wirklich zu schade, dass es ausgerechnet jetzt wieder anfangen musste zu klopfen, wo er doch die ganze Zeit im Bett damit zugebracht hatte, es zu beruhigen. Aber da war nichts zu machen. Mr Marble fragte sich nämlich, ob die Zeitung irgendetwas über den Franc zu berichten wusste, und das reichte natürlich vollkommen aus dafür, dass sein Herz wieder zu klopfen anfing.

Die kratzenden Kokosfasern der Fußmatte unter den nackten Sohlen stand Mr Marble da und sah den Wirtschaftsteil der Zeitung durch. Doch er war wenig aufschlussreich. Es wurde nur die Schlussnotierung des Franc genannt – 118 –, einen Punkt besser als der Kurs, zu dem er gekauft hatte. Das wusste Mr Marble bereits. Nirgends stand etwas davon, dass die französische Regierung drastische Maßnahmen ergriffen hatte. Alles schien genau so zu sein wie gestern. Mr Marble erkannte, dass er vielleicht selbst jetzt noch unbeschadet und sogar mit einem kleinen Gewinn aus dem Geschäft wieder aussteigen könnte. Und dann würde vielleicht auch Saunders den Mund halten. Doch mit diesem Gedanken liebäugelte Mr Marble nur einen Augenblick lang. Dann verengten sich seine Augen, und sein weiches, stoppelbärtiges Kinn schob sich um ein Drittel eines Zentimeters vor. Nein. Das würde er jetzt aushalten. Er würde das Geschäft durchziehen, koste es, was es wolle. Er hatte es satt, Angst zu haben. Es steckten ein paar ziemlich gute Anlagen in diesem Mr William Marble. Wie schade nur, dass es zu einer Situation auf Leben und Tod kommen musste, um ihn zum Handeln zu bewegen.

Dennoch war Mr Marble derart unruhig, dass er zu seiner Ehefrau hinaufrief: »Kommst du *irgendwann* auch noch mal herunter, Annie?«, und dann gleich geschäftig zum Ankleiden eilte, und zum Frühstück, und schließlich eine gute halbe Stunde früher als üblich ins Londoner Finanzviertel sauste. Niemand in dem überfüllten Bahnwaggon ahnte auch nur, dass der kleine Mann in dem blauen Anzug, der dort, die Füße kaum auf den Boden reichend, in der Ecke saß und mit einem solchen Eifer seine Zeitung las, entweder seinem Glück oder aber seinem Ruin entgegeneilte, obwohl ein genauerer Blick als jene, die Mr Marble in seinem Leben jemals auf sich zog, vielleicht einige seltsame Mutmaßungen zutage gefördert hätte, wenn man an sein blasses Gesicht und den gequälten Blick seiner hellblauen Augen dachte. Und vom Bahnhof aus ging er nicht über die London Bridge, sondern hastete sie atemlos entlang.

In der Bank angekommen, hängte er Hut und Mantel achtlos auf und rannte hinauf in die Devisenabteilung. Die wenigen Angestellten, die schon da waren, starrten ihn ob seines ungewohnt frühen Eintreffens verwundert an. Und Mr Marble ging schnurstracks in Mr Hendersons Büro hinein, in jenes Allerheiligste, das zu betreten nur er und Henderson das Recht hatten. Er sah auf den Börsenfernschreiber. Was war er nur für ein Dummkopf! Jetzt waren natürlich noch keine Kursangaben durchgegeben worden. Er hätte genauso gut noch zu Hause bleiben können.

Zurück an seinem Schreibtisch setzte er sich erst mal und tat so, als hätte er viel zu tun, auch wenn das schwierig aufrechtzuerhalten war, weil die Korrespondenz noch nicht eingetroffen war. Er wartete zwanzig Minuten, während der große Büroraum sich mit den nach dem einen Zeitplan spät Eintreffenden und den nach dem anderen früh Eintreffenden füllte. Langsam entwickelte sich der übliche Geräuschpegel des Büros. Die Telefone begannen zu klingeln, und die Angestellten riefen sich von Schreibtisch zu Schreibtisch etwas zu. Dann bemerkte Mr Marble plötzlich, dass der junge Netley ihm gegenüber ins Telefon hineinsprach. An Netleys Begrüßung des Unbekannten am anderen Ende der Leitung erkannte er, dass er mit einem der Börsenmakler aus der London Wall sprach.

»Ja«, sagte Netley, »ja, nein, was, wirklich? Nein, das hatte ich noch nicht gehört, ja, ja, in Ordnung.«

Marble wusste instinktiv, wovon er sprach.

»Wie steht Paris im Moment, Netley?«, fragte er.

Netley war so erfüllt von der überraschenden Nachricht, dass er den seltsamen Zufall nicht bemerkte und sogar das verhasste »Sir« anfügte.

»Neunundneunzig, Sir«, erwiderte er. »Ist über Nacht um ganze zwanzig Punkte gestiegen. Warum, weiß noch keiner.«

Marble wusste es. Denn er hatte natürlich recht gehabt. Er hatte eben einen guten Kopf für Finanzen, wenn er sich denn entschloss, ihn mal zu benutzen.

Henderson kam herein und ging durch den Raum hindurch in seinen eigenen. Marble bemerkte ihn gar nicht, so sehr war er mit Nachdenken beschäftigt. Er versuchte den Mut dafür zusammenzukratzen, das risikoreiche Unterfangen weiter zu betreiben. Wenn er jetzt verkaufte, könnte er Saunders gut dreihundert Pfund Gewinn auszahlen – höchstwahrscheinlich genug, um ihn zufriedenzustellen. Wie auch immer, jetzt war er erst mal auf der sicheren Seite. Und so direkt, wie er über die Entwicklung am Börsenmarkt naturgemäß informiert war, könnte er noch in demselben Moment verkaufen, in dem sich ein Kursfall abzeichnete. Aber wenn er täte, was er Saunders gestern erzählt hatte – jetzt verkaufen und erneut investieren, wäre das Ganze schon wieder sehr viel weniger sicher. Ein Kursfall um zehn Prozent würde dann sowohl den Gewinn als auch das Kapital vernichten, und Saunders würde meinen, betrogen worden zu sein. Doch all seine Erfahrung sagte Marble, dass der Anstieg noch weitergehen würde. Er könnte einen riesigen Gewinn erzielen, wenn er nur kühn genug wäre – oder verzweifelt genug –, es zu riskieren. Da erschien Henderson in der Tür seines Büros.

»Mr Marble«, sagte er, »es möchte Sie jemand sprechen.«

Marble ging hinein und griff nach dem Hörer.

»Hallo«, sagte er.

»Ist da Mr Marble?«, klang es aus dem Hörer. Und dann: »Hallo, altes Haus, wie geht's?«

Es war Saunders. Er hatte längst begonnen, das Geschäft vom Tag zuvor zu bedauern, war aber entschlossen, das Spiel bis zum Letzten mitzuspielen. Mochte Marble ihm auch auf irgendeine schändliche Art vierhundert Pfund aus der Tasche gezogen haben, eine weitere Aufstockung würde es von ihm nicht geben. Aber diese eine Sache würde er jetzt bis zum bitteren Ende durchziehen.

»Alles bestens«, sagte Mr Marble.

Er musste auf seine Wortwahl achten, denn Henderson war in Hörweite, und dieser würde es nie zulassen, dass er sich mit einem Kunden der Bank zu einem Geschäft abgesprochen hatte.

»Der Kurs beginnt zu steigen«, sagte Mr Marble. »Schauen Sie auf Ihren Fernschreiber.«

Mr Saunders konnte einen Ausruf ungläubiger Überraschung nicht unterdrücken.

»Sie könnten jetzt mit einem kleinen Gewinn aussteigen«,

sagte Mr Marble. Sein Ton war kühl und ernst, genau so wie er es beabsichtigte, und es lag Überzeugung darin.

»Entschuldigung, ich habe nicht genau verstanden, was Sie gesagt haben«, sagte Mr Marble.

»Moneten – Moneten – Moneten«, klang es aus dem Hörer, als Mr Saunders erkannte, dass dies sein Stichwort war, und seine alte Spielfreude ihn wieder ergriff.

»Ja. Ich glaube, da handeln Sie sehr klug«, sagte Mr Marble und legte den Hörer auf.

»Das war Mr Saunders«, sagte Marble zu Henderson. »Er hat gestern Franc gekauft – der Glückspilz – und will verkaufen und erneut investieren.«

Im Büro draußen hatte die alltägliche nervenaufreibende Hektik ihren üblichen Pegel erreicht. Mr Marble saß an seinem Schreibtisch, auf dem jetzt die Korrespondenz lag, und sammelte sich. Beinah fünf Minuten lang kämpfte er mit sich, bevor er zu dem Telefon neben sich greifen und die nötigen Anweisungen geben konnte, um Saunders Anteil zu erhöhen – und das Risiko ebenfalls.

Es schien keinen Anlass zur Sorge zu geben. Mr Marble verkaufte zu 95 und kaufte erneut zu 93. Eine halbe Stunde später stand der Franc bei 87, und das Risiko war gebannt. Inzwischen ist ja allgemein bekannt, dass die französische Regierung am Abend zuvor stillschweigend begonnen hatte, sich Zugriff auf die Devisenreserven anderer Leute zu verschaffen, und der Franc den ganzen Tag lang stieg, während sich die Devisenmakler verwundert den Kopf zerbrachen, um das Rätsel zu erklären, und ihren Gott verfluchten, dass sie diese Entwicklung nicht vorausgesehen und so viel Franc gekauft hatten, wie ihr Kreditrahmen hergab. Und den ganzen Tag lang stieg der Franc, während die Männer, die kalt erwischt worden waren, hastig ihre Verluste begrenzten, die deutschen

Spekulanten, die so fröhlich drauflos gehandelt hatten, verzweifelt ihre Bemühungen aufgaben, und die Kleinanleger, die dem Markt sowieso stets hinterherhinken, keuchend herbeigeeilt kamen, um sich auch noch eine Scheibe vom Gewinn abzuschneiden. Die Männer im Büro, die noch vor ein paar Tagen mit großer Zuversicht vorausgesagt hatten, dass der Franc denselben Weg wie die Mark nehmen werde, hatten ihre Meinung bereits vollständig geändert und sagten nun, dass er auf seinen Vorkriegskurs von fünfundzwanzig Komma zwei-fünf klettern werde. Doch Mr Marble bewahrte einen kühlen Kopf, genau so wie an jenem fatalen Abend, als er gewusst hatte, dass ein einziger Fehler Ruin und gewaltsamen Tod bedeuten könnte. Die kalte Angst, die auf das unmittelbare Hochgefühl des Erfolgs gefolgt war, schwand vollkommen, und er wurde ganz ruhig, tödlich ruhig. Er beobachtete den Börsenmarkt mit unerschütterlicher Aufmerksamkeit. Ein-, zweimal schwankte der Markt, und die Leute mit schwachen Nerven nahmen ihre Gewinne mit, doch jedes Mal erholte er sich wieder, so wie mit einer echten Nachfrage im Rücken zu erwarten. Bei 75 verkaufte er erneut, investierte ein weiteres Mal und blieb den ganzen Tag lang ohne Mittagessen im Büro sitzen, um das Geschäft selbst in der Hand zu behalten, und als der Franc dann 65 erreichte, verkaufte er endgültig. Es war gut möglich, dass er noch ein wenig höher steigen würde, so wie es auch tatsächlich geschah, als er für kurze Zeit auf 60 kletterte, doch Mr Marble hatte alles getan, was er tun konnte, und noch einiges mehr.

Es war nicht nötig, den Gewinn auszurechnen. Den kannte er bereits, denn mit schmerzvollem Eifer hatte er jeden einzelnen Penny gezählt, den jeder Punkt für ihn bedeutet hatte. Er rief die Stenotypistin der Abteilung zu sich und begann den offiziellen Bankbrief an Saunders zu diktieren, mit einem

Bericht über die Fortschritte und auch die ganze restliche Entwicklung des Geschäfts.

Sehr geehrter Sir,
in Übereinstimmung mit den Anweisungen, die wir heute um 9.45 Uhr und um 16.51 Uhr telefonisch von Ihnen erhalten haben, haben wir ...

Der Brief war kühl, und trocken, und formell, weiß Gott. Aber Bankbriefe waren für gewöhnlich nun einmal kühl, und trocken, und formell, selbst dann, wenn sie ein einziges Triumphlied waren. Und dieses hier sang, in einem vornehm distanzierten Ton, davon, wie Mr Saunders ursprünglich etwas mehr als fünfundvierzigtausend Franc gekauft hatte mit den viertausend Pfund, die sein Margin von vierhundert absicherte; wie diese zu 95 verkauft worden waren und dann fast fünftausend Pfund repräsentierten (eintausend Pfund Gewinn); wie diese eintausend Pfund und die ursprünglichen vierhundert bei einem Preis von 93 wieder zu Franc gemacht worden waren und folglich, dank der Tatsache, dass jedes Pfund die Arbeit von zehn versah, beinahe eineinviertel Millionen Franc repräsentierten; dieser Millionenbetrag war zu 75 verkauft worden und hatte mehr als sechzehntausend Pfund erlöst. Zu diesem Zeitpunkt lag Mr Saunders' Gewinn bei über viertausend Pfund, und diese sowie die guten alten ursprünglichen vierhundert waren noch ein weiteres Mal in den Franc gesteckt worden, zu einem Kaufpreis von immer noch 75, da dank Mr Marble eine Turbulenz am Börsenmarkt genutzt werden konnte. Dieser hinterlegte Betrag sicherte Franc im Wert von fünfundvierzigtausend Pfund ab – drei Millionen Franc und noch ein paar Tausend dazu.

Als diese schließlich zu 65 verkauft wurden, belief sich Mr

Saunders' Guthaben auf recht knappe einundfünfzigtausend Pfund. Er war vermutlich nicht einmal fähig, die einfachste Devisenabrechnung zu machen; im Moment jedenfalls hatte er nicht die leiseste Ahnung, welchen Gewinn er erzielt hatte; Marble allein hatte diesen mit seiner Voraussicht für ihn erwirtschaftet; das meiste Geld würde letztendlich aus den Taschen der glückloseren Spekulanten kommen, was diesen nur recht geschah, aber einiges auch von den unzähligen Firmen, die auf Franc angewiesen waren, egal zu welchem Preis. Und darüber hinaus, hätte die Bank in dieser Sache irgendetwas zu sagen gehabt, wäre die Spekulation vermutlich schon bei der ersten Gelegenheit aufgegeben worden, doch die Bank war nach dem ersten Gespräch nicht mehr zurate gezogen worden. Mr Marble hatte sich für all dies eine vordergründige Rechtfertigung dahingehend zurechtgelegt, dass Henderson die erste Ausweitung des Währungshandels ja stillschweigend geduldet habe, glaubte aber nicht, dass er sie würde nutzen müssen. Keine Bank hatte wirklich etwas dagegen, wenn ihre Kunden durch den Enthusiasmus ihrer Angestellten reicher wurden.

Als der Brief beendet war, verließ Mr Marble das Büro. Er hatte nicht gearbeitet an diesem Tag, und dazu wäre er auch gar nicht in der Lage gewesen, selbst wenn er es versucht hätte. Er war zu erschöpft von der emotionalen Anspannung, unter der er all die Stunden gestanden hatte. Stattdessen ging er ganz gemächlich zu Saunders' Büro. Die hastenden Menschen um ihn herum, die sich beeilten, den Zug um 17.10 Uhr an der Fenchurch Street oder den um 17.25 Uhr an der London Bridge zu bekommen, würdigten ihn keines Blickes. Sie erkannten nicht, dass dieser schäbige Mann in Blau ein Kapitalist war – ein Mann, der mehr als zehntausend Pfund besaß, *wenn er Saunders denn dazu bringen konnte, dass er zahl-*

te. Sie beachteten ihn gar nicht, es sei denn, um sich auf ihrem Heimweg an ihm vorbeizudrängeln. Er war fast so reich, wie er es sich in seinen wildesten Träumen ausgemalt hatte, und dennoch schoben sie ihn in die Gosse. Mr Marble machte sich nichts daraus. Sie hatten ihn auch nicht weiter beachtet, als er nur ein Mörder gewesen war.

Das letzte Pferderennen des Tages war vorbei und Saunders sah in seinem Büro gerade einige Aufstellungen der heutigen Umsatzzahlen durch, als einer seiner beiden Angestellten Mr Marble zur Tür hereinführte.

»Hallo«, sagte er und sah auf. »Sie haben also wirklich was rausgeholt?«

Mr Marble sank erschöpft auf den angebotenen Stuhl und nahm die Zigarette, die Saunders ihm hinhielt.

»Was haben Sie gekriegt? Sechs zu eins?«, fragte Saunders halb scherzend, halb ernst. Er war zu dem Schluss gekommen, dass Mr Marbles letzter Köder gestern mit den dreitausend Prozent ein reiner Bluff gewesen war. Marble hatte offenbar eine Gelegenheit ergriffen, die sich ausgezahlt hatte, und er selbst war vor allem froh, dass er sein Geld wiedersah, noch dazu mit einem Gewinn obendrauf, und würde nicht allzu stark darauf drängen, dass Marble all seine Versprechen einlöste.

»Ich weiß nicht«, sagte Marble. »So habe ich's noch gar nicht ausgerechnet. Aber die Gesamtsumme beläuft sich auf etwas über fünfzigtausend.«

»Was?«, keuchte Saunders. »Fünfzigtausend? Sie meinen vermutlich Franc, oder?«

»Nein«, sagte Marble ausdruckslos. »Pfund.«

»Ist das Ihr Ernst?«

»Oh, ja, natürlich. Sie bekommen morgen die offizielle Mitteilung von der Bank.«

Saunders sagte nichts. Nichts in seinem begrenzten Vokabular konnte es mit dieser Situation aufnehmen.

»Fünfzigtausend Pfund«, wiederholte Marble, immer noch ausdrucklos, aber er wappnete sich bereits unauffällig für die letzte Anstrengung. »Rechnen wir mal aus, wie hoch mein Anteil ist.«

Er fand es erstaunlich, dass Saunders ihm so ohne alle Schwierigkeiten zustimmte. Es hätte ihn nicht überrascht, wenn dieser sich rundheraus geweigert hätte, ihm überhaupt irgendeinen Betrag zu geben; Saunders hätte einfach alles behalten können, und er hätte keinerlei Handhabe dagegen gehabt. Doch als Marble diese Angst empfand, ließ er zu, dass die Angst seine Einschätzung verschiedener wichtiger Aspekte von Saunders' Charakter überlagerte. Erstens war Saunders ein ehrlicher Mann. Zweitens war er so geblendet von der Höhe des Gewinns, dass er dem Mann, der diesen für ihn erworben hatte, den gerechten Anteil nicht missgönnte. Und drittens war er Buchmacher und aufgrund von Geschäften, die von keinem Gesetz im Vereinigten Königreich auch nur im Entferntesten gedeckt waren, daran gewöhnt, große Beträge auszuhändigen.

»Gebongt«, sagte Saunders. »Wie viel ist's denn nun genau?«

»Fünfzigtausenddreihundertneunundzwanzig und ein paar Shilling.«

Saunders rechnete es eilig aus. Das hatte Marble schon längst im Kopf getan.

»Ich runde Ihr kleines Paket auf 27 681 Pfund auf. Oh, und noch die sechzig, die Sie mir gegeben haben. Für mich selbst bleiben gut zweiundzwanzigtausend. Nicht schlecht für drei Telefonanrufe.«

Saunders versuchte sich lässig zu geben diesem Zauberer

gegenüber, der über Nacht Tausende sprießen lassen konnte. Eigentlich aber platzte er geradezu vor Erstaunen und Neugier.

»Wann ist der Abrechnungstag?«, fragte er.

»Das Geld wird bald hereinkommen. Sie haben es innerhalb von einer Woche. Vielleicht morgen schon, aber das glaube ich nicht. Die Bank wird Ihnen Bescheid geben.«

»In Ordnung. Ich werde Ihnen dann einen Scheck schicken. Ist dieses Vorgehen in Ihrem Sinne?« Saunders tat sein Bestes, um sich den Anschein des versierten Geschäftsmannes zu geben, auch wenn der höchste Scheck, den er in seinem Leben jemals ausgestellt hatte, sich auf nicht mehr als fünfhundert Pfund belief; und dieses Ereignis suchte ihn noch heute in seinen schlimmsten Albträumen heim.

»Sehr gut. Also dann.« Mr Marble erhob sich von seinem Stuhl.

Mr Saunders konnte sich nicht länger zurückhalten.

»Oh, setzen Sie sich, altes Haus, und erzählen Sie mir mal, wie Sie das hingekriegt haben. Nein, wir sollten etwas trinken gehen, um das zu feiern. Lassen Sie uns heute Abend richtig einen draufmachen, irgendwo im Westend. Lassen Sie uns ...«

Doch nichts von all dem reizte Mr Marble, auch wenn die reine Erwähnung eines Drinks allein schon eine Sehnsucht in ihm auslöste.

»Nein«, sagte Mr Marble. »Ich muss mich auf den Weg nach Hause machen.«

Und er fuhr tatsächlich nach Hause. Obwohl Mr Marble nun siebenundzwanzigtausend Pfund besaß, verbrachte er seinen Abend, solange er nüchtern war, in einem tristen kleinen Vorstadtwohnzimmer und starrte durch das Fenster in einen verdorrten Vorstadtgarten hinaus – aus Angst, dass irgendein unbefugter Eindringling oder ein herumstreunender Hund dort etwas finden könnte.

6

Eines Tages kam Mr Marble am Spätnachmittag so leichten Schrittes und Herzens nach Hause wie schon lange nicht mehr. Denn selbst wenn der Schatten des Galgens einem auf den Weg fällt, ist man doch ganz unwillkürlich ein kleines bisschen beschwingt, wenn man soeben nicht nur einen Betrag von über siebenundzwanzigtausend Pfund erhalten und auf ein neues Konto bei einer neuen Bank eingezahlt hat, sondern einem noch dazu von dem Bankdirektor Ehrerbietung bezeugt wurde.

Mr Marble hatte indes genug vom Spekulieren. Das Geld sollte, so hatte er es in einem ernsten Gespräch mit dem Bankdirektor beschlossen, vollständig in mündelsichere Papiere investiert werden – bis auf eintausend Pfund, die für den Kauf der Malcolm Road 53 gedacht waren. Und trotz dieses Abzugs würde Mr Marble immer noch ein ausreichendes Zinseinkommen von zwölfhundert Pfund im Jahr haben, auch wenn davon – wie der Bankdirektor missbilligend bemerkte – der Eintreiber der Einkommenssteuer noch einen dicken Batzen kassieren würde.

Und so hängte Mr Marble seinen Hut mit einer für ihn ganz ungewöhnlich freimütigen Geste im Flur auf und marschierte forsch ins Esszimmer hinein, wo seine Familie noch über den Resten ihrer Teemahlzeit dasaß.

»Du bist früh dran, Will«, sagte Mrs Marble und stand dabei klaglos auf, um sogleich die Vorbereitungen für das Abendessen ihres Ehemannes zu treffen.

»Bin ich, bin ich«, erwiderte Mr Marble und warf sich in den Sessel neben dem Gitter des leeren Kamins.

Es ist zwar merkwürdig, aber doch wahr, dass Annie Marbles Angewohnheit, stets das Offensichtliche zu sagen, ihm nicht auf die Nerven ging. Während jenes lauwarmen Werbens um sie, damals vor siebzehn Jahren, hatte eines Mr Marble ganz besonders gefallen, nämlich dass Annie nie etwas Unerwartetes sagte und er sich nie die Mühe machen musste, sie zu unterhalten. Doch in diesem Moment hatte er eine kleine Szene vor Augen, die sie ungeheuer verblüffen und interessieren würde, und darauf hatte er sich schon den ganzen Tag lang gefreut.

»Wie läuft's in der Schule, John?«, fragte er.

John trank gemächlich noch einen Schluck Tee, bevor er antwortete. Das war seine Art.

»Ganz gut«, sagte John. Er benutzte nie drei Wörter, wenn auch zwei genügten.

Mr Marble hatte sich bereits gedacht, dass John nicht viel sagen würde, und die Vorstellung gefiel ihm, denn er wusste, dass seine nächsten Worte ihn dazu zwingen würden, etwas mehr als üblich zu sagen.

»Du wirst sie am Ende dieses Trimesters verlassen, John«, sagte er.

John setzte seine Teetasse mit einem leisen Klirren ab und starrte seinen Vater an.

»Wirklich?«, fragte er.

Nur ein Wort diesmal. Das verärgerte Mr Marble irgendwie.

»Ja. Ich werde dich fürs nächste Trimester am Gymnasium anmelden.«

Doch Mr Marble war zu einer Enttäuschung verurteilt. John sagte eine Weile lang gar nichts. Er war zu fassungslos, um zu sprechen. In den vier Jahren an seiner Realschule hatte er sich sehr gut dort eingelebt, und er freute sich bereits auf die verlockende Aussicht auf Präfektenamt und »Farben«. Diese Trophäen wurden ihm nun einfach entrissen. Und er sollte aufs Gymnasium gehen. Das Syndenham-Gymnasium war eine Privatschule, eine zweiten Ranges zwar nur, doch dieser feine Unterschied machte John in seinem Alter noch nichts aus; seine von einer Stiftung getragene Realschule und dieses vornehme Lehrinstitut, wo die Jungs Motorräder fuhren und arrogant die Nasen über den Rest der Menschheit rümpften, konnten einander jedoch nicht ausstehen.

Das war es, was den ärgsten Einspruch in Johns stummer, aber sensibler kleiner Seele hervorrief. Wenn er auf das Syndenham-Gymnasium ging, müsste er sich von den Freunden trennen, die er im Laufe von vier langen Sommern gewonnen hatte. Dann müsste auch er über Manton und Price und den guten alten Jones, dessen Brille irgendwie immer verbogen war, die Nase rümpfen. Das würde er natürlich nicht tun, aber – und das wusste er blitzartig wie durch prophetische Eingebung – sie würden es von ihm *erwarten*, und das wäre genauso schlimm. In diesem Moment erkannte John die Dinge sehr deutlich. Auf dem Gymnasium würde er wie einer der Realschüler aufgenommen und behandelt werden, und an seiner alten Schule würde sich eine instinktive Ablehnung gegen ihn bilden. Er wäre weder Fisch noch Fleisch, weder Freund noch Feind.

»Oh, nun sag schon was, um Gottes willen«, forderte Mr Marble missmutig. »Sitz nicht da und starre mich an wie eine ausgestopfte Puppe.«

John wandte den Blick auf seinen Teller. »Danke, Vater«, erwiderte er.

»Verflixt noch mal, Junge«, sagte Mr Marble, »man könnte glatt meinen, du *willst* gar nicht dorthin gehen. Die beste Privatschule Englands, und du darfst sie besuchen. Und« – nun warf Mr Marble seinen besten Köder aus – »wenn du dort gut zurechtkommst und dich hervortust, dann gibt's eines Tages vielleicht sogar das Motorrad, von dem ich dich habe reden hören.«

Doch die Mühe war vergebens. Sogar ein Motorrad bedeutete John gar nichts, wenn die Voraussetzung dafür war, dass er aufs Gymnasium ging. Hätte Mr Marble das nur erwähnt, bevor er auf die andere Angelegenheit zu sprechen kam, dann hätte John den Vorschlag vielleicht anders aufgenommen. Doch so wie es war, murmelte John nur ein weiteres Mal »danke« und schob die Krümel auf seinem Teller herum. Verärgert wandte Mr Marble sich von ihm ab und seinem eigentlichen Liebling, Winnie, zu.

»Und du, Miss«, sagte er mit einer launigen Heiterkeit, die, ungewöhnlich wie sie war, genau das Gegenteil dessen bewirkte, was er beabsichtigt hatte, »was wünschst du dir am meisten?«

Es war nicht allzu klug, eine gänzlich unvorbereitete Vierzehnjährige, selbst wenn sie fast schon fünfzehn war, plötzlich mit einer solchen Frage zu konfrontieren. Winnie fummelte nachdenkend an ihrem Kleid herum und sah weg, als sie bemerkte, mit welch konzentriertem Blick die anderen im Zimmer sie anschauten. Zu Hilfe kam ihr schließlich die Erinnerung daran, worum sie das größte Mädchen in ihrer Klasse am meisten beneidete.

»Grüne Strumpfbänder«, sagte sie.

Mr Marble brach in schallendes Gelächter aus, auch wenn es vielleicht ein klein wenig gezwungen klang.

»Du wirst viel mehr als das kriegen«, sagte er lachend. »Wir werden dich diese Woche vollkommen neu einkleiden, mit allem Drum und Dran. Was hältst du davon, auf ein schickes

Internat zu gehen, so eins für richtige junge Damen, wo du am Morgen höchstwahrscheinlich reiten gehst und all die Sachen hast, die dir gefallen, und die Töchter von Lords deine Freundinnen sind?«

»Ooh, das wäre so schön«, sagte Winnie, doch es schwang nur eine mäßige Begeisterung mit. Mr Marble hatte seine kleine Überraschung zu überraschend vorgebracht, um die Wirkung zu erzielen, die er beabsichtigt hatte. Doch in diesem Moment war er zufrieden.

»Aber stimmt das denn alles?«, fragte Winnie. »Können wir wirklich alle genau das haben, was wir uns wünschen?«

»Hundertprozentig. Wir können alle genau das haben, was auch immer wir uns wünschen«, sagte Mr Marble überglücklich darüber, dass Winnie endlich beeindruckt war.

»Und was will Mama haben?«, fuhr Winnie fort.

Mr Marble drehte sich zu seiner Ehefrau herum, die sich hinter ihm plötzlich gesetzt hatte, als dies überraschende Gespräch begann. Mr Marble sah seine Ehefrau an, und sie begann, konfus wie immer, nachzudenken.

»Ganz egal, was ich mir wünsche?«, fragte sie, mehr um Zeit zu gewinnen als aus irgendeinem anderen Grund.

»Ganz egal, was du dir wünschst«, wiederholte Mr Marble.

Mrs Marble ließ ihren Gedanken freien Lauf, ohne sich von den strikt begrenzten Geldbeträgen einschränken zu lassen, die sie ihr ganzes Leben lang daran gehindert hatten. Und ihre Gedanken flogen schnurstracks, wie sie es oft taten, zu grünen Feldern und sonnenbeschienenen Hecken. Mit der klaren Vorstellungskraft, die jenen von konfusem Intellekt so oft zu eigen ist, schien vor ihrem geistigen Auge das Bild einer sonnigen, nach Hyazinthen duftenden Wiese voll summender Bienen auf, mit verschlafenen, kleinen, halb von Wald überzogenen Hügeln im Hintergrund, und einem Mr Marble, der freundlich und aufmerksam wie ein Liebhaber neben ihr herging.

»Oh, jetzt sag schon, Mami«, forderte Winnie.

Mrs Marble übersetzte ihre Gedanken, so gut sie konnte, in Worte.

»Ich möchte ein neues Haus haben und einen Garten«, sagte Mrs Marble.

Mr Marble sagte gar nichts. Er blieb so schweigsam, dass sie alle sich nach einiger Zeit umdrehten und ihn ansahen. Er war in seinem Sessel versunken, buchstäblich versunken, sodass er nur noch halb so viel Raum einzunehmen schien wie zu dem Zeitpunkt, als er nach Hause kam. Sein Gesicht war ausdruckslos und seine Lippen bewegten sich, ohne einen Laut hervorzubringen. Doch er erholte sich schließlich wieder.

»Das wirst du nicht kriegen«, sagte er. »Das wirst du niemals kriegen.«

Dann las er an ihren überraschten Mienen ab, wie seltsam sein Verhalten wirkte, und versuchte es zu überspielen.

»Es ist schwierig, heutzutage ein Haus zu finden«, sagte er. »Und mir gefällt unser altes Zuhause nun einmal so gut, dass ich nicht ausziehen möchte. Kannst du dir denn nicht etwas anderes einfallen lassen, Mutter?«

Natürlich konnte Mutter das, wenn Will es wünschte. Das Gespräch wurde auf viel lebhaftere Art wieder aufgenommen, da sie langsam Gefallen an dem Thema fanden.

Sogar John ließ sich schließlich hineinziehen. Vorschläge flogen hin und her – Möbel für das Haus, Autos, Karten fürs Theater, Hühnchen zum Abendessen am Sonntag. Doch irgendwie vermieden sie alle zu erwähnen, wie dringend das Haus einer Renovierung bedurfte, und keiner von ihnen schlug vor, die Hilfe eines Gärtners in Anspruch zu nehmen, um den Garten zu verschönern. Drei der Anwesenden wussten nicht warum. Es war rein instinktiv.

Als Mr Marble endgültig seine gute Laune wiedergefunden hatte, wurde er so jovial und freundlich, wie die Kinder ihn schon seit vielen Jahren nicht mehr erlebt hatten. Sie kicherten, als er ein großes Notizbuch hervorholte und mit zur Schau gestelltem Aufhebens alle geäußerten Vorschläge aufschrieb.

»Dein Tee wird ja ganz kalt, Will«, sagte Mrs Marble. »Warum trinkst du ihn nicht jetzt und machst danach mit dem Spiel weiter?«

Die Kinder sahen ihren Vater besorgt an. War es letzten Endes alles nur ein Spiel? Das wäre wirklich schade. Doch er beruhigte sie sofort.

»Es ist kein Spiel, Mutter«, sagte er, »wirklich nicht.«

Aber Mrs Marble stand ihre Ungläubigkeit immer noch ins Gesicht geschrieben. In ihrem konfusen Gedächtnis gab es ein oder zwei schon halb begrabene Erinnerungen an Zeiten, als ihr Ehemann ihre geistige Beschränktheit auf grausame Art ausgenutzt hatte. Und weil sie da sehr empfindlich war, schrak sie davor zurück, sich ein weiteres Mal bloßstellen zu lassen.

»Es ist kein Spiel, Mutter«, sagten John und Winnie ermutigt.

»Ich habe gerade mit einem Finanzgeschäft einen Haufen Geld gemacht«, erklärte Mr Marble.

»Vater hat gerade mit einem Finanzgeschäft einen Haufen Geld gemacht«, wiederholte Winnie.

Allmählich begann sie ihnen zu glauben.

»Wie viel?«, fragte sie, erstaunlicherweise pragmatischer als ihre Kinder.

»Mehr als du dir vorstellen kannst«, erwiderte Mr Marble

und hielt damit strikt an seinem Credo fest, dass man seine Ehefrau unter keinen Umständen über sein Einkommen in Kenntnis setzen durfte – auch wenn ihn das schon einmal an den Rand des Ruins gebracht hatte. Und fügte dann hinzu: »Genug, um uns alle ein Leben lang zu versorgen«, weil er es ihr doch unter die Nase reiben musste.

»Aber du wirst doch nicht ... du wirst doch nicht die *Bank* aufgeben?«, fragte Mrs Marble entsetzt. Man konnte ihre Ehrfurcht geradezu körperlich spüren, als sie sprach. Ehrfurcht vor der gewaltigen Institution, die ihnen ihr täglich Brot gab, und panische Angst vor dem stets über ihren Köpfen schwebenden Damoklesschwert der Entlassung hatten sich seit den frühen Tagen ihrer Ehe tief in ihr eingenistet.

»Ich weiß noch nicht«, sagte Mr Marble achtlos. »Vielleicht, vielleicht auch nicht.«

»Oh, Will, das darfst du nicht tun, wirklich nicht. Stell dir nur vor, es würde etwas schiefgehen!«

»Schiefgehen? Was soll denn schiefgehen?« Marble konnte einen Anflug von Hohn in seiner Stimme nicht unterdrücken. Die Mutmaßung, dass nach seinem erstaunlichen Kunststück der Spekulation mit dem Franc in Finanzgeschäften, die er kontrollierte, etwas »schiefgehen« könnte, wurmte ihn. Er schenkte der Tatsache, dass Mrs Marble davon nichts wusste, nicht ausreichend Beachtung. Und das war vielleicht typisch für ihn, genau so wie sein Ärger darüber, dass sie sich auch nur ansatzweise darin einmischen könnte, wie er ihr gemeinsames Leben gestaltete.

»Ich weiß nicht, aber ... oh, Will, so viel Geld kannst du doch gar nicht gemacht haben?«

»Das kann ich also nicht! Habe ich aber.«

Kindern erscheint es vollkommen natürlich, dass ihr Vater eines Tages nach Hause kommt und sagt, dass er für sie alle ein Vermögen gemacht hat; aber einer Frau erscheint nichts unwahrscheinlicher, als dass ihr Ehemann so etwas sagt. Es dauerte sehr lange, Mrs Marble davon zu überzeugen. Und als es endlich so weit war, hatte Mr Marble schon alle Freude daran verloren. Keiner war übermäßig begeistert gewesen; keiner hatte Mr Marble gesagt, was für ein wunderbarer Mann er war; ja, John schien es sogar leidzutun, dass es überhaupt geschehen war. Und Mrs Marble hatte bedauerlicherweise nur das Falsche gesagt – wie natürlich zu erwarten gewesen war. Schließlich riss dem armen Marble der bereits überstrapazierte Geduldsfaden, und er verlor ziemlich arg die Beherrschung.

»Ihr seid doch ein Haufen Dummköpfe«, schnauzte er. »Und was dich angeht, Annie ...«

Annie weinte, und wie immer wenn das passierte, konnte Mr Marble es nicht länger ertragen. Einen unartikulierten Laut ausstoßend, der seine Empörung nur unzureichend ausdrückte, stand er ungehalten aus seinem Sessel auf und tat dann ein paar Dinge, die Annie und den Kindern inzwischen nur allzu vertraut waren. Er wanderte im Zimmer umher und griff nach einigen der ständig herumliegenden Bücher über Verbrechen; dann suchte er in seiner Tasche nach dem Schlüssel für die Anrichte, aus der er die Karaffe, die Siphonflasche und ein Glas herausholte; und schließlich verließ er mit vollen Händen das Zimmer. Die Kinder und ihre Mutter hörten ihn hinten ins Wohnzimmer gehen, und sie hörten, wie die Tür mit unnötiger Wucht zugeschlagen wurde.

»Oje, oje, oje«, jammerte Mrs Marble und drückte sich ihr Taschentuch an die Augen. Doch sie erholte sich wieder. Es war schließlich immer noch ein Credo in der Familie Marble, dass das Oberhaupt des Hauses nicht trank, nie getrunken hatte und noch kein einziges Mal betrunken gewesen war. Und zugleich hatte sich in der letzten Zeit ein weiteres Credo herausgebildet. Das da lautete, dass Mr Marble aus keinem bestimmten Grund all diese Stunden lang im Wohnzimmer saß. Es war nur eine kleine Marotte von ihm, unerklärlich zwar, aber doch eine, über die man kein Wort verlor.

»Also, Kinder«, sagte Mrs Marble, fest entschlossen, diese Überzeugungen – auch wenn sie nicht wusste warum – um jeden Preis zu bestärken und zugleich das Ansehen ihres Ehemannes aufrechtzuerhalten, »erledigt still eure Hausaufgaben und macht auch sonst keinen Lärm, um Vater nicht zu stören. Vielleicht erzählt er uns mehr darüber, wenn er nicht so müde ist.«

Sie stand vom Tisch auf und griff nach dem Tablett, auf dem immer noch unangerührt der Tee ihres Ehemannes stand. Leise ging sie hinaus und auf Zehenspitzen an der Tür zum Wohnzimmer vorbei. Einen guten Teil des frühen Abends brachte sie mit Abwaschen zu. Und den Rest mit Bügeln.

Als sie schließlich mit ihrer Arbeit fertig war und den Kindern Gute Nacht gesagt hatte, setzte sie sich in dem verlassenen Esszimmer hin. Sie war sehr müde, und sie war sehr besorgt. Natürlich glaubte sie dem lieben Will, wenn er sagte, dass er so viel Geld gemacht hatte, aber dennoch – vielleicht war ihm irgendwo ein Fehler unterlaufen, und vielleicht war es gar nicht so, wie er dachte. Seine unübersehbare Entschlossenheit, die Bank zu verlassen, machte ihr Angst. Doch nicht um all den Reichtum, den Will erworben zu haben behauptete, hätte sie sich selbst eingestanden, dass ihre Sorge vor allem in dem nagenden Verdacht begründet lag, Will könnte dieses Geld vielleicht auf illegale Weise erworben haben. Vielleicht würden sie ihn holen kommen und ins Gefängnis stecken. Das wäre schrecklich, aber sie würde ihn natürlich immer lieben und zu ihm halten. Und auf ihre konfuse Art zu denken, die sie jedoch mit Beharrlichkeit einzusetzen pflegte, kam Mrs

Marble tatsächlich zu dem Schluss, dass irgendetwas Derartiges geschehen sein musste. Er hatte natürlich nicht wirklich etwas Böses getan, aber er würde Verdächtigungen ausgesetzt sein, und alle Beweise würden in deren Richtung deuten, und so weiter. Seine Sorgen in der letzten Zeit, die sogar Mrs Marble bemerkt hatte, und sein Gemurmel in der Nacht, wenn er neben ihr lag, schienen all das auch zu untermauern. Der arme Mann, er musste vor Sorgen schier vergehen. Und bei dem Gedanken daran, wie er ganz allein dort in dem halb dunklen Wohnzimmer saß, regte sich großes Mitleid in ihr. All ihre merkwürdige Liebe stieg in ihrer Brust auf, und sie spürte, wie ihre Augen feucht wurden. Sie liebte ihn, sie liebte ihn von ganzem Herzen. Es lag nur an diesen Sorgen, die er hatte, dass er nicht mehr so zärtlich wie früher zu ihr gewesen war. Aber das würde jetzt aufhören, jetzt, da er wusste, dass sie auf seiner Seite stand und seine Sorgen teilte. Nichts auf der Welt war Mrs Marble so kostbar wie die Küsse dieses kleinen, schäbigen Mannes mit dem rötlichen Schnurrbart, der auf ewig die Höllenfeuer in sich trug. Und mit dieser so stark in ihrer Brust aufwallenden Liebe, dass sie gar auf ihr zu lasten begann und sie sich die Hand aufs Herz legen musste, kam Mrs Marble an den Scheideweg ihres Lebens – und wusste nicht einmal, dass sie ihn erreicht hatte. Ohne noch weiter darüber nachzudenken, ging sie, von Liebe und Hoffnung für ihren reizenden Ehemann erfüllt, aus dem Zimmer hinaus und leise in das andere hinein.

Er saß dort, wo er für gewöhnlich saß, in dem unbequemen viktorianischen Sessel mit Blick aufs Fenster und noch etwa zwei Meter darüber hinaus. Seine Haltung ließ eine seltsame Mischung aus Anspannung und Entspannung erkennen. Auf einem Stuhl neben ihm standen der Whisky und das Glas, und auf seinem Schoß lag sein Buch, so als hätte er für einen

Moment seine Lektüre unterbrochen, um einem Gedanken zu folgen, der ihm soeben gekommen war. Doch es war schon beinahe eine Stunde lang zu dunkel zum Lesen. Mr Marble war halb betrunken, und im Geiste malte er sich möglicherweise eintretende unvorstellbare Schrecken aus, während er in den fast dunklen Garten hinausstarrte, der sein Geheimnis barg.

»Schatz«, begann Mrs Marble, und sagte dann, als er nicht antwortete: »Bist du wach, Schatz?«

Sie trat näher zu ihm, wie ein graues Gespenst in dem Halbdunkel, und berührte ihn sachte an der Schulter. Mr Marble fuhr augenblicklich herum. Ja, er fuhr sogar derart in seinem Sessel herum, dass sogleich die Whiskykaraffe mit einem Krachen herunterfiel und die spärlichen Reste ihres Inhalts sich gluckernd auf den Teppich ergossen.

»Was ... was ...«, stieß er stotternd hervor. Ein Mann kann eben nur eine begrenzte Zeit lang auf alle Notfälle gefasst sein, und Mr Marble hatte sich nun gerade einmal entspannt. Da sah er, dass es nur seine Ehefrau war. »Ach, du bist es, du Dummkopf«, fauchte er, beschämt über seine absurde Angst – er würde sich nicht eingestehen, wovor er Angst gehabt hatte – und wütend auf sie, auf sich selbst, und auf alles andere auch.

»Oh, Will, es tut mir so leid«, sagte Mrs Marble, deren Hausschuhe von Whisky trieften, und bückte sich, um die Karaffe aufzuheben.

Kaum anderthalb Zentimeter waren noch in der Karaffe verblieben – der schiere Hohn. Mr Marble warf einen Blick auf den Whisky und stieß ein Schimpfwort aus. Es war ein hässliches Wort, das er benutzte, und Mrs Marble holte hörbar Luft. Doch sie versuchte immer noch, Frieden zu stiften.

»Macht doch nichts, Willielein«, sagte sie, »ich konnte

wirklich nichts dafür. Du kannst ja gleich morgen früh neuen kaufen. Macht doch nichts, Schatz.«

Dies waren die wenigen mitfühlenden Worte, die sie stets benutzt hatte, wenn der ihrem Herzen sehr nahe stehende John als kleiner Junge über etwas unglücklich gewesen war. In Mrs Marbles Vorstellung musste der Verlust des Whiskys Mr Marble auf dieselbe Weise treffen wie ein kaputtes Spielzeug den kleinen John.

»Macht doch nichts, Schatz«, wiederholte Mrs Marble und streckte die Hand nach seiner Stirn aus, so wie sie es für gewöhnlich tat.

Doch Mr Marble schob sie nur übellaunig weg und stieß in knurrigem Ton das hässliche Wort hervor, das er eben schon benutzt hatte. Und das war es, was Mrs Marble traurig machte. Seine Wutausbrüche war sie gewöhnt – sie hätte ihn nicht so von Herzen geliebt, wenn er diese nicht, ganz wie ein Baby, gehabt hätte –, doch er hatte sie noch nie beschimpft, noch nie zuvor. Dennoch unternahm sie einen weiteren Anlauf und versuchte, an seinem ausgestreckten Arm vorbei seine Stirn zu berühren und ihm auf die Art, wie sie es so gern tat, das spärliche Haar zu zerzausen.

»Das ist es nicht, weshalb ich gekommen bin, Schatz«, sagte sie. »Ich wollte –«

»Herrje, das will ich auch hoffen«, unterbrach Mr Marble sie höhnisch. »Du wärst ja ein noch größerer Dummkopf, als selbst ich gedacht hätte, wenn du gekommen wärst, nur um meinen Whisky umzukippen.«

»Oh, Willie, Willie«, schluchzte Mrs Marble. Jetzt weinte sie.

»Oh, Willie, Willie«, höhnte Mr Marble, dessen Nerven blank lagen.

»Nein, Willie, hör mir doch *zu*. Ich bin gekommen, weil ich dir sagen wollte, dass ich es inzwischen weiß, und es ist egal. Es ist völlig egal, Schatz. Deswegen wird sich für mich gar nichts ändern.«

Diese lange Rede zu halten – das heißt, lang für sie – gelang ihr nur, weil ihr Ehemann unfähig war, überhaupt irgendetwas zu sagen. Er hatte die Armlehnen des Sessels umklammert und starrte sie in panischer Angst an. Dann sprach er schließlich doch, oder krächzte vielmehr. Seine Kehle war trocken und sein Herz klopfte ihm in der Brust wie eine Dampfmaschine.

»Woher ... woher weißt du es?«

»Ich weiß nicht genau, Schatz, ich hab's einfach erraten. Aber du verstehst mich nicht, Schatz. Es ist egal, das ist es, was ich sagen wollte.«

Marble lachte; es klang schrecklich in der Dunkelheit.

»Du glaubst also, dass es egal ist? Du hast doch keine Ahnung.«

»Nein, Schatz, so meine ich das nicht. Ich meine, es ist egal, dass ich es weiß. Oh, Willie, Schatz ...«

Aber Marble lachte schon wieder. Es waren Laute wie von einem wilden Tier.

»Wenn *du* es erraten konntest, wird's morgen die halbe Welt erraten. Ah ...«

»Morgen? Sie wissen es also noch nicht?«

»Wäre ich wohl noch hier, wenn jemand es wüsste, du Dummkopf?«

»Nein, Schatz. Aber ich dachte, sie würden es vielleicht vermuten.«

»Es gibt nichts zu vermuten. Sie können es nur wissen.«

»Aber woher sollen sie es denn wissen?«

»Wenn der junge Medland –«

»Medland? Oh, du meinst diesen jungen Neffen, der uns

besuchen kam. Hat er dir geholfen? Ich habe dich schon so oft nach ihm fragen wollen.«

Marble starrte ihre im Zwielicht graue Gestalt an. Ihr Gesicht konnte er nicht erkennen, und er hatte entsetzliche Angst, dass entweder sie ihn in Versuchung führen wollte oder er andernfalls seine unanfechtbare Position aufgrund einer albernen Nichtigkeit aufgeben könnte. Einen Moment lang triumphierte die erste Vorstellung.

»Du Teufel«, sagte er. »Was soll das? Warum fragst du mich das?«

Seine Stimme brach vor Angst und Glut. Mrs Marble sagte nichts. Sie war zu entsetzt, um ein Wort herauszubringen. Mr Marble starrte ihre unbewegte Gestalt an, und einen Augenblick lang überwältigte ihn eine wilde, absurde Angst vor dem Ungewissen. War das wirklich seine Ehefrau, oder war es … war es …? Blinde Panik begann sich seiner zu bemächtigen. Wild fuchtelnd schlug er nach der grübelnden Gestalt. Als seine Faust auf festes Fleisch traf, empfand er eine grausame Freude, und er hörte seine Frau entsetzt aufschreien. Wieder und wieder schlug er zu, und er hievte sich aus dem Sessel, um es zu tun. Der Stuhl neben ihm fiel um, und sein Glas sowie die Siphonflasche zerbarsten in Hunderte klirrende Splitter. Seine Ehefrau schrie matt, als er ihr durchs Zimmer folgte und mit kläglicher Brutalität auf sie einschlug.

»Oh, Willie, Willie, nicht!«

Dann erlaubte der Zufall ihm einen etwas gezielteren Schlag, und Mrs Marble fiel stumm zu Boden.

Marble wankte und griff nach der Lehne eines Sessels, um sich abzustützen. Als seine Panik abflaute, empfand er nur noch eine furchtbare Schwäche; er konnte kaum stehen, und er war ganz benommen vor Anstrengung und dem Klopfen seines Herzens. Im Haus war ein Getrampel zu hören, und dann wurde die Wohnzimmertür aufgerissen. Das Licht der Flurlampe fiel von draußen herein, und im Türrahmen stand John in seinem ausgefransten Pyjama. Seine Mutter lag noch dort, wo sie hingefallen war, direkt vor seinen Füßen.

Einen Augenblick lang starrten Vater und Sohn einander an. Nur einen Augenblick lang, doch das reichte. Danach wusste John, dass er seinen Vater hasste; und sein Vater wusste, dass er seinen Sohn hasste. John setzte an, etwas zu sagen, doch es kamen keine Worte heraus. Dann bewegte sich seine vor seinen Füßen daliegende Mutter stöhnend. Mit einer gewaltigen Anstrengung riss Mr Marble sich zusammen – oh, immer diese Anstrengungen!

»Gut, dass du heruntergekommen bist, John«, sagte er. »Deiner Mutter ist ein ... kleines Missgeschick passiert. Hilf mir, sie hinaufzubringen.«

John sagte nichts, bückte sich aber und fasste sie unter den Schultern, während Marble sie unter ihren Knien ergriff. Gemeinsam schleppten sie sie die Treppe hinauf. Sie war bei Bewusstsein und hatte sich bereits wieder so weit erholt, dass sie selbst hätte hinaufgehen können, doch ein eisiges Schweigen lag über den dreien, und keiner von ihnen wollte es brechen. Sie legten sie aufs Bett, und Mrs Marble weinte jammernd und tupfte sich die Augen mit ihrem Taschentuch, das sie immer noch mit der Hand umklammert hielt. John sah seinen Vater noch einmal an, immer noch aufblitzenden Hass im Blick. Dann drehte er sich um und verließ das Zimmer.

Vielleicht wäre sogar zu diesem Zeitpunkt noch alles wieder gut geworden, wenn Mr Marble sich über sie gebeugt und in dem leisen, sanften Ton, den er manchmal anschlug und den Annie so gern hatte, um Verzeihung gebeten hätte. Annie hätte sich vielleicht erweichen lassen; mit um seinen Hals geschlungenen Armen hätte sie ihn an sich gezogen, und ihre verzweifelten Tränen hätten sich sogar zu diesem Zeitpunkt noch in Freudentränen wandeln können. Doch das tat Mr Marble nicht. Er war völlig durcheinander und erschüttert, trat vom Bett zurück und lief unruhig im Zimmer umher. Als er schließlich wieder zu ihr hinging, hatte Annie das Gesicht im Kissen vergraben, und die Hand, die er ihr vorsichtig auf die Schulter legte, schüttelte sie ab. Einen Moment lang blieb Mr Marble unschlüssig stehen, doch dann schien vor seinem geistigen Auge das Bild des kleinen Whiskyrestes auf, der in der Karaffe unten verblieben war. Es war immer noch ein kleiner Rest da; er hatte es mit eigenen Augen gesehen, nachdem Annie die von ihr umgeworfene Karaffe vom Boden wieder aufgehoben hatte. Und Whisky war in diesem Moment genau das, was Mr Marble mehr als alles andere auf der Welt brauchte. Er drehte sich um und schlich auf Zehenspitzen aus dem Zimmer hinaus und die Treppe hinunter, dorthin, wo die Karaffe stand.

Spät am Abend saß Mr Marble immer noch im Wohnzimmer; er hatte die Gaslampe angemacht, weil ihm die Dunkelheit, die er dort unten vorgefunden hatte, nicht gefiel. In der Hand hielt er ein leeres Glas, und mit starrem Blick sah er ins Zimmer hinein, während er in dem Sessel dasaß und sich den Ablauf der Ereignisse zu vergegenwärtigen suchte, dem sein überaktiver Geist nachspürte. Zu wenig Whisky und zu viel Aufregung hatten Mr Marbles Gedanken in einem solchen Maße angespornt, dass er seiner wilden Vorstellungskraft gar nicht Herr werden konnte. Die Folgen des abendlichen Geschehens präsentierten sich ihm in jeder nur möglichen Ausprägung. In der einen Sekunde schien er die Hände der Polizei auf seinen Schultern zu spüren; und schon in der nächsten konnte er die schmierigen Finger des Henkers auf sich fühlen, die ihm etwas über den Kopf zogen und alles bereit machten. Mehr als einmal begann er von seinem Sessel aus einen Strom unartikulierten Flehens auszusenden. Und jedes Mal sank er mit einem Seufzen zurück, nur um gleich darauf in ein weiteres schreckliches Hirngespinst einzutauchen. Er hatte sich selbst den Boden unter den Füßen weggezogen; er hatte den dummen Schnitzer begangen, den letzten Endes alle Mörder begingen. Sein Geheimnis war preisgegeben, und ein preisgegebenes Geheimnis war ein verratenes Geheimnis. Die dumme Annie würde den Druck niemals ertragen können, der schon auf ihm so schwer lastete. Sie würde irgendeine Bemerkung fallen lassen und dann – die schrecklichen Fantasien fingen erneut an. Was Mr Marble brauchte war Whisky, große Mengen davon, damit er all diese unerträglichen Gedanken ertränken könnte. Aber Whisky war just das, was Mr Marble nicht haben konnte. Nicht all seine siebenundzwanzigtausend Pfund, ja nicht einmal aller erdenkliche Reichtum hätte in diesem Augenblick Whisky für Mr Marble herbeischaffen können. In London wäre es vielleicht möglich gewesen, aber nicht in dieser stillen Vorstadt hier, um ein Uhr in der Nacht. Mr Marble konnte nur jammernd in seinem Sessel dasitzen und vor Qual wahnsinnig werden.

7

Mr Marble machte sich natürlich selbst etwas vor, wenn er meinte, dass seine Ehefrau all das, was geschehen war, aus seinen kleinmütigen Ausrufen an jenem Abend hatte schließen können. Das erkannte er im Laufe der Zeit selbst. Sie konnte nichts dergleichen. Die Situation zwischen ihnen war immer noch angespannt; sie sagten nicht mehr zueinander als unbedingt nötig, doch das lag nicht daran, dass Annie in ihrem Ehemann einen Mörder sah. In dieser Hinsicht gewann Mr Marble seinen Seelenfrieden allmählich wieder zurück.

Außerdem war alles andere zu aufregend, als dass er zum jetzigen Zeitpunkt lange darüber nachgegrübelt hätte. Wie erwartet, war Mr Saunders nicht in der Lage gewesen, die glorreiche Tatsache, dass er einen Hundert-zu-eins-Erfolg erzielt und den äußerst achtbaren Betrag von vierundzwanzigtausend Pfund erworben hatte, für sich zu behalten. Binnen zwei Tagen hatte sich die Neuigkeit im ganzen Finanzviertel von London verbreitet, und binnen dreier war sie auch offiziell in der Bank bekannt. Es hatte eine kleine Szene gegeben, in der Mr Marble eine Arroganz zeigte, die man nur von einem Mann mit einem Vermögen im Rücken erwartete. Die Bank nahm das Schlimmste an, ließ ihn eher besorgt als wütend wissen, dass man dieses Mal von einer strafrechtlichen Verfolgung absehe – sie hatte ohnehin keinen Tatbestand vorliegen, und außerdem hätte sie niemals vor einem Gericht Einblick in ihre Geschäftsabläufe gewährt –, und akzeptierte letztlich die Kündigung, die er mit einem erleichterten Seufzen eingereicht hatte.

Doch Mr Marble wurde nun nicht umgehend zum Privatier. Eine angesehene Firma von Devisenbörsenmaklern hörte Saunders' Geschichte und beschloss, dass ein Mann von Mr Marbles Talenten ein höchst wünschenswerter Zuwachs sei. Der einzige Mann im ganzen Finanzviertel, der den Anstieg des Franc vorausgesehen und die Zivilcourage gehabt hatte, all seine Ersparnisse in diese Spekulation zu investieren, und der außerdem die Charakterstärke besaß, Saunders zur Unterstützung zu verleiten, sei ein Mann, den anzustellen lohnenswert war. Also wandten sie sich an Mr Marble und machten ihm ein unverbindliches Angebot, das er ohne große Diskussion – je stärker seine Gedanken beschäftigt wären umso besser, das ahnte er schon unbestimmt – annahm. Die Arbeitszeiten waren angenehm; der Juniorpartner war nur ein wenig zögerlich gewesen, als er ihm die Höhe des Gehalts nannte – fünfhundert im Jahr. Mr Marble befand sich mit einem Einkommen von nicht weniger als siebzehnhundert Pfund im Jahr also in einer komfortablen Lage. Doch es kostete ihn ungeheure Kraft, nicht unablässig über die Tatsache nachzudenken, dass all diese Herrlichkeit ganz jenem wilden Impuls geschuldet war, der ihn der Gefahr des Galgens ausgesetzt hatte.

Der Kauf des Hauses Nummer 53 in der Malcolm Road ging problemlos vonstatten. Es wurde lediglich drei Tage lang verhandelt, denn die Besitzer waren hocherfreut, jemanden zu finden, der bereitwillig siebenhundert Pfund für ein Haus bezahlte, das zwanzig Pfund an Reparaturen im Jahr kostete und dennoch von Gesetzes wegen zu keinem höheren Betrag als fünfunddreißig Pfund vermietet werden durfte.

Mr Marble hätte es sich leisten können, in einem dreimal

so teuren Haus zu wohnen. Doch er konnte es nicht über sich bringen, hier wegzuziehen. Die Vorstellung, nicht mehr in diesen Garten blicken zu können, war ihm unerträglich. Und außerdem hatte er die unbestimmte Befürchtung, es könnte ein Gesetz geben, das die Besitzer leer stehender Häuser zur Vermietung verpflichtete, und dann würde das, was seine gequälte Vorstellungskraft ihm beständig vor Augen führte, unweigerlich Realität werden. Nein, er konnte es nicht ertragen, hier wegzuziehen, und so wohnte Mr Marble, mit einem Einkommen von siebzehnhundert Pfund im Jahr, auch weiterhin in einer schäbigen Straße in einem Haus mit zwei kleinen Wohnräumen, drei kleinen Schlafzimmern und einer Küche, deren Größe Mrs Marble jedes Mal, wenn sie sie betrat, beklagte.

Arme Annie Marble! Sie konnte sich schwerlich all die Veränderungen ausmalen, die stattfinden würden. Der erste überzeugende Beweis dafür, dass die Umstände nun radikal andere waren, zeigte sich ein oder zwei Wochen nach jenem unerfreulichen Abend im Wohnzimmer. Mr Marble machte sich eben auf den Weg in die Stadt – neuerdings musste er nicht mehr vor neun Uhr anfangen –, und als er sich an der Tür verabschiedete, griff er in seine Tasche und drückte ihr grob etwas in die Hand.

»Hier«, sagte er, »nimm das und geh heute Vormittag los und gib alles aus, jeden einzelnen Penny davon. Wirklich alles, hörst du. Also, auf Wiedersehen.«

Und damit ging er schnellen Schrittes die Straße entlang davon. Mrs Marble betrachtete staunend, was er ihr gegeben hatte. Es war ein Bündel Geldscheine, so frisch aus der Bank, dass sie noch knisterten. Sie ließ sie durch die Finger gleiten. Manche waren Fünf-Pfund-, andere Ein-Pfund-Scheine. Und alles in allem summierten sie sich zu einem enormen Betrag – genau genommen fünfzig Pfund –, das war mehr

Geld, als sie jemals auf einem Haufen gesehen hatte. Mr Marble fühlte sich, während er mit dem Bus zum Bahnhof fuhr, schon sehr viel wohler als in den letzten beiden Wochen. Er hatte es nicht mehr gewagt, seiner Ehefrau in die Augen zu blicken, was furchtbar gewesen war. Sie machte gerade eine harte Zeit durch, das arme Ding, und Mr Marble wusste aus Erfahrung, dass eines der wenigen bescheidenen Vergnügen in ihrem Leben darin bestand, Geld ausgeben zu können. Mit fünfzig Pfund in der Handtasche würde sie die Rye Lane entlangspazieren und sich eine schöne Zeit machen können. Und vielleicht würde sie dann, wenn er am Abend nach Hause kam, wieder lächeln und diese ganze abscheuliche Sache, als er die Kontrolle über sich verloren hatte, wäre vergessen.

Doch selbst während er das dachte, betrachtete Mrs Marble diese Geldscheine mit Angst im Herzen. Zu diesem Zeitpunkt hätte ihr Ehemann ihr mit einem unerwarteten Geschenk von fünf Shilling mehr Freude gemacht. Denn bei fünf Shilling musste man nicht sogleich an Polizei und Gefängnis denken. Außerdem wusste Mrs Marble kaum, was sie mit fünfzig Pfund anfangen sollte, und zu guter Letzt hatte sie viel zu große Angst vor der Zukunft, um es alles auf einmal auszugeben. Sie mochte vielleicht konfus sein, aber eine Lektion hatte Mrs Marble in ihrem Leben gelernt, und das sehr gründlich; nämlich, dass es nichts Schöneres gibt als Geld, nichts, das so rasch dahinschwindet, und nichts, das so schwer zu erwerben ist. Mrs Marble ging und schloss es in die einzige eigene Schublade ein, die sie im ganzen Haus hatte.

Langsam erledigte sie ihre allmorgendliche Arbeit – sie hatte immer noch keine Haushaltshilfe –, machte Betten, putzte eins der Zimmer gründlich, schälte Kartoffeln fürs Abendessen der Kinder, und schließlich setzte sie ihren Hut auf, um die täglichen Einkäufe zu machen. Im Flur zögerte sie einen

Moment lang, und dann erlag sie der Versuchung. Rasch lief sie noch einmal die Treppe hinauf, schloss die Schublade auf und nahm mit schlechtem Gewissen einen einzigen Ein-Pfund-Schein heraus, den sie in ihre Handtasche stopfte.

Mr Marble kehrte rechtzeitig nach Hause zurück, um mit den Kindern zusammen die Teemahlzeit einzunehmen. Als er hereinkam, war er unübersehbar guter Laune, und Mrs Marbles Miene hellte sich auf, als sie sah, dass er in dieser viel zu seltenen Stimmung war. Mr Marble sah sich forschend um; er schaute noch einmal in den Flur hinaus und blickte ihn rauf und runter. Und dann begann er mit großem Aufhebens unter dem Tisch und an allen anderen noch so unmöglichen Orten zu suchen.

»Was suchst du denn nur, Will?«, fragte Mrs Marble, die sich das Lachen über sein Gehabe kaum verkneifen konnte.

»Nach all den Sachen, die du heute gekauft hast«, lautete die Antwort.

Mrs Marble sah ihren Ehemann schuldbewusst an.

»Von dem Geld, das du mir heute Morgen gegeben hast?«, fragte sie.

»Genau. Ich hab's dir gegeben, damit du es ausgibst.«

»Ich wollte es nicht gleich alles ausgeben, Schatz. Ich habe mir nur ein bisschen davon genommen.«

Mr Marble holte ein goldenes Zigarettenetui aus seiner Tasche, nahm eine Zigarette mit Goldbanderole heraus, zündete sie mit einem Streichholz aus einer goldenen Streichholzschachtel an und sah sie mit kaum verhohlener Belustigung an.

»Nun, was *hast* du denn gekauft? Komm, erzähl's uns alles ganz genau.«

Mrs Marble zupfte nervös an ihrem Kleid herum.

»Ich ... ich habe ein oder auch zwei Sachen für die Küche gekauft –«

»Was denn?«

»Einen ... einen Wischmopp und zwei neue Auflaufformen –«

Mr Marble brach in schallendes Gelächter aus.

»Ausgezeichnet!«, rief er. »Und was noch?«

»Einen neuen Porzellanübertopf für die Schusterpalme, einen ganz hübschen, Schatz, aber den liefern sie natürlich erst noch. Und eine Feder für meinen anderen Hut, für den schwarzen, du weißt schon. Und ... und ... sonst nichts weiter. Oh, lach doch nicht so. Ich konnte einfach nicht widerstehen.«

Aber Mr Marble lachte nur noch mehr. Es schüttelte ihn geradezu vor Heiterkeit.

Er wandte sich an die Kinder und stieß zwischen seinen Lachsalven keuchend hervor: »Ich gebe eurer Mutter fünfzig Pfund, um einkaufen zu gehen und alles auszugeben, und das kommt dabei heraus! Ein Wischmopp und zwei Auflaufformen! Oh, Annie, du bringst mich eines Tages noch ins Grab.«

Selbst die Kinder erkannten, dass es recht geschmacklos von ihm war, sich vor ihnen über ihre Mutter lustig zu machen, und die arme Mrs Marble regte sich immer mehr auf.

»Oh, lach doch nicht, Will, bitte nicht. Woher hätte ich denn wissen sollen, dass ich das wirklich alles ausgeben darf?«

Aber Mr Marble führte die Auseinandersetzung nicht fort.

»Morgen ist Samstag«, sagte er, »da muss ich nicht ins Büro. Wir gehen zusammen einkaufen, und dann zeige ich dir mal, wie man das Geld, das ich dir gegeben habe, ausgibt. Wie wäre das?«

»Oh, das wäre schön, Schatz.«

Nun war die kleine Mrs Marble vor Freude ganz aufgeregt. Es war bestimmt schon ein Jahr her, seit sie zuletzt mit ihrem Ehemann einkaufen gegangen war; und es war bestimmt schon drei her, seit sie zuletzt nördlich der Themse mit ihm gewesen war.

Und dennoch war jener Vormittag, auf den sie sich den ganzen Abend lang so sehr freute, nicht wirklich ein voller Erfolg. Er glich eher einem wilden Albtraum. Es ging um zehn Uhr vormittags in der Tottenham Court Road los. Mr Marble begann damit, Vereinbarungen zur Abholung »einiger alter Möbel« aus der Malcolm Road 53 zu treffen. Und dann folgte eine Einkaufsorgie. Er handelte eindeutig nach einem schon ausgereiften Plan, denn er marschierte schnurstracks in die Verkaufsräume für »Stilmöbel«, um seine Einkäufe zu tätigen. Doch er wollte nichts aus dem schlichten Queen-Anne- oder dem schönen Chippendale-Sortiment. So etwas entsprach nicht seiner Vorstellung. Stattdessen fragte er nach Empire-Möbeln. Sie verkauften sie ihm. Und außerdem verkauften sie ihm auch noch Möbel aus der direkt auf das Empire folgenden Stilepoche, die stark vergoldet waren und deutliche Anzeichen jenes Verfalls von Geschmack erkennen ließen, der die Welt von den 1840er-Jahren an überflutete. Er kaufte übermäßig vergoldete, übermäßig drapierte Sessel und Sofas. Er kaufte ein unansehnliches Empire-Bett, das mit vergoldeten Amorputten von abscheulichem Geschmack verziert war. Doch sein alles krönender Einkauf war ein wuchtiger Tisch, dessen Holzrahmen durch Schnitzereien, Ziselierungen und Quälereien aller möglichen Art zu einer Monstrosität des Designs gemacht und danach noch gleißend vergoldet worden war; die Platte des Tisches bestand aus einem Marmormosaik, das ein dank seiner groben Ausführung wenig überzeugendes klassisches Motiv zeigte. Dieser Tisch wog vermutlich zwischen neun und zehn Zentner, und so sah er auch aus.

Der Abteilungsleiter rieb sich die Hände, als der Kauf abgeschlossen war. Er konnte sich nicht erinnern, seit den glorreichen Tagen des Krieges einen Vormittag wie diesen erlebt zu haben. Er drehte Mr Marble noch ein paar weiße Elefanten an, bevor er die beiden in Richtung der Bilder und Bilderrahmen entließ. Und dennoch fühlte der Abteilungsleiter sich nicht ganz wohl, als er all diese Vereinbarungen traf. Das Geschäft verlief zu simpel. Es ähnelte zu sehr der Übervorteilung eines Dummen. Er musste die Sachen lediglich anbieten, den Preis nennen und die Bestellung notieren. Sogar er, versiert wie er war in der Mentalität des Möbelkäufers, schätzte es gar nicht, dass Mr Marble einfach das kaufte, was er kaufen wollte, und nicht das, was den Wünschen des Abteilungsleiters entsprach. Mr Marble bereitete es ein außerordentliches Vergnügen. All diese großflächigen Vergoldungen und all diese überladenen, albtraumhaften Laokoons gleichenden Designs waren für Mr Marble der Inbegriff des guten Geschmacks. Und was den Mosaiktisch betraf, so schätzte er sich glücklich, ihn ergattert zu haben.

Mr Marble machte all diese Einkäufe so rasch und beriet sich mit seiner Ehefrau so wenig, dass die ganze Sache binnen zwei Stunden erledigt war. Er unterschrieb einen Scheck, der ihm den Besitz so vieler kitschiger Empire-Möbel zusicherte, dass er die Malcolm Road 53 bis unters Dach damit ausstatten konnte, und wurde von den erstaunten und erfreuten Angestellten unter tiefen Verbeugungen aus dem Geschäft geleitet.

Auf dem Gehweg sah Mr Marble auf die goldene achteckige Uhr an seinem Handgelenk und winkte ein Taxi heran.

»Oh, Will«, murmelte Mrs Marble in missbilligendem Ton, doch sie stieg ein.

»Bond Street«, rief Mr Marble dem Fahrer kurzangebunden zu und setzte sich neben sie.

Mrs Marble klammerte sich verzweifelt an den Arm ihres Ehemannes, als sie die Oxford Street entlangrauschten. Sie fürchtete fast, dass er, wie es so häufig in Märchen geschieht, plötzlich verschwinden und sie ganz allein in einem Taxi – sie hatte noch nie zuvor in einem gesessen – zurücklassen könnte, sodass sie sich den Weg nach Hause selbst suchen und das Eintreffen einer ganzen Wagenladung voll Empire-Möbel ohne die Unterstützung seiner Anwesenheit durchstehen müsste. Mr Marble wehrte sich nicht gegen diese öffentlich zur Schau gestellte Zuneigung. Er drückte sogar den ängstlichen Arm, der sich zwischen seinen eigenen und seinen Rumpf geschoben hatte, womit er Mrs Marble in den siebenten Himmel der Glückseligkeit versetzte. Sie fühlte sich vage an ihre Flitterwochen erinnert.

An der U-Bahn-Haltestelle »Bond Street« stiegen sie aus und begannen die Straße langsam entlangzuspazieren, den Blick auf die Schaufenster gerichtet. Mrs Marble fragte sich bereits, was wohl als Nächstes passieren würde. Sie fand es bald heraus.

»Geh da hinein«, sagte Mr Marble, der vor einem Geschäft stehen geblieben war.

Mrs Marble blickte ins Schaufenster. Die ein oder zwei dort ausgestellten Artikel deuteten ohne Zweifel darauf hin, dass es ein Geschäft für Damen war, aber auch darauf, dass es ein Geschäft für Damen mit sehr viel Geld war. Sie klammerte sich noch fester an den Arm ihres Ehemannes als zuvor.

»Oh, das kann ich nicht, Will, wirklich nicht. Ich ... ich möchte nicht.«

Mr Marble schnaubte verächtlich.

»Nun mach schon«, sagte er. »Geh hinein und kauf, was immer du willst. Neun von zehn Frauen würden ihre Ohren hergeben für so eine Gelegenheit.«

»Oh, aber, Will, ich weiß gar nicht, was ich will. Lass uns ... lass uns doch zu Selfridge's oder so gehen.«

Mr Marble verkündete seine Verachtung für Selfridge's der ganzen Bond Street.

»Frauen wissen nie, was sie wollen, wenn sie ein Geschäft betreten. Geh hinein. Überlass es einfach denen. Sie werden dir alle erforderlichen Fragen stellen, wenn du erst drin bist und sie herausfinden, wie viel Geld du hast. Du hast deine fünfzig Pfund doch dabei?«

»Ja, Schatz.« Da war Mrs Marble sich sicher. Sie hatte ihre Handtasche den ganzen Vormittag lang fest umklammert vor lauter Angst, dass sie sie verlieren könnte.

»Gut. Hier sind noch mal zwanzig. Steck's ein. Und jetzt hinein da.«

Von blinder Panik erfasst, die ihre Knie zittern ließ, wankte Mrs Marble in das Geschäft. Mr Marble machte sich derweilen durstig auf die Suche nach einem Drink.

Als er zurückkam, war seine Ehefrau immer noch in dem Geschäft, und er musste eine Zeit lang freudlos warten, bis sie blass, aber standhaft und mit einer seltsamen Freude im Herzen herauskam. Sie konnte ihm nur weniges von all dem erzählen, was geschehen war – Mrs Marble war nicht sehr geschickt darin, Erlebnisse zu schildern –, und es war ein aussichtsloses Unterfangen für sie, ihm erklären zu wollen, welch hoffnungslose Minderwertigkeitsgefühle sie empfunden hatte beim Anblick des Gesichtsausdrucks der Verkäuferin, als sie dieser verlegen eine Adresse in den düsteren Vorstädten südlich des Flusses nennen musste, und mit welch einer Herablassung all die Angestellten sie behandelt hatten, und auf welch ungerührte Art diese sie zuvorkommend um all ihr Geld erleichtert und ihr darüber hinaus erlaubt hatten, sich sehr viel mehr liefern zu lassen, als sie in diesem Augenblick bezahlen konnte. Und wie sie, sobald sie das Geschäft betreten hatte, erkannte, wie bieder ihre Kleidung wirkte, und dass ihr Hut, selbst mit der am Tag zuvor gekauften neuen Feder daran, in den Augen dieser aristokratischen Verkäuferinnen nicht einmal ein Hut war. Im Grunde war keines ihrer Kleidungsstücke in deren Augen überhaupt ein Kleidungsstück. Blitzartig hatte sie erkannt, dass diese Leute die Welt insgeheim in die Bekleideten und die Unbekleideten einteilten, und für sie stand sie auf keiner höheren Stufe als ein nackter Wilder. Aber sie hatte es wettgemacht.

»Ich fürchte, ich habe furchtbar viel Geld ausgegeben, Will«, sagte sie entschuldigend.

»Ganz richtig so«, sagte Mr Marble. »Sie liefern die Sachen, nehme ich an? Bist du auch sicher, dass du ihnen die richtige Adresse genannt hast? Dann ist ja gut. Jetzt lass uns nach Haus gehen.«

Und nach Hause ging es, in einem vom üblichen Gewimmel des Samstagvormittags überfüllten Bus zurück in die Malcolm Road. Es war recht bedauerlich, dass nichts zum Essen auf die beiden wartete, als sie dort um zwei Uhr eintrafen, und Mr Marble musste warten, bis seine Ehefrau, deren Gedanken noch ganz in einem Taumel von Chiffonstoffen und feinster Wollserge gefangen waren, eine rasch zuzubereitende, schwer verdauliche Mahlzeit hergerichtet hatte. Am besten wäre es gewesen, wenn sie auswärts zu Mittag gegessen hätten, doch darauf war Mr Marble nicht einmal gekommen. Mittlerweile hatte ihn wieder seine alte Obsession im Griff; schon im Bus hatte er schlechte Laune gehabt und kein einziges Wort mehr für seine Ehefrau erübrigt; er war ganz darauf bedacht gewesen, nach Hause zu kommen und zu kontrollieren, dass sich niemand in seinem heiß geliebten Garten zu schaffen machte. Diese panische Angst zeichnete sich dadurch aus, dass sie mit immer größerer Regelmäßigkeit ganz plötzlich auftrat.

8

In der nächsten Woche reckten alle in der Malcolm Road wie gebannt die Hälse. Es waren verschiedene Gerüchte über Mr Marbles so plötzlich erworbenes Vermögen herumgeschwirrt, und die Fragen, um welchen Betrag genau es ging und wie er dazu gekommen war, wurden auf zwanzig verschiedene Arten beantwortet. Doch es gab trotzdem noch ein paar Skeptiker, die sich weigerten, die ihnen vorgelegten Anzeichen zu beachten, und verächtlich erklärten, dass sie den Gerüchten erst dann Glauben schenken würden, wenn diese ohne jeden Zweifel bewiesen wären. Immerhin habe es doch vor einigen Monaten schon einmal ganz ähnliche Gerüchte gegeben, als die Marbles begannen, all ihre Rechnungen zu bezahlen, und Mrs Marble sich einige neue Kleider kaufte. Doch schon nach kurzer Zeit seien sie wieder ihren alten Gewohnheiten verfallen, hätten allen möglichen Leuten Geld geschuldet und Mrs Marble sei genauso bieder gekleidet herumgelaufen wie sie alle.

Doch diesmal konnten die Skeptiker nur staunen. Anfangs war die Neuigkeit »Nummer 53 zieht aus« von Mund zu Mund geflogen. Denn genau so sah es aus. Vor dem Haus stand ein leerer Möbelwagen, den Männer mit Möbeln beluden, die sie aus Nummer 53 heraustrugen. Und überall hinter den Gardinen der oberen Fenster beobachteten Hausfrauen, was vor sich ging. Einige setzten sich schließlich sogar, überwältigt von Neugier, ihre Hüte auf und liefen mit der hastig fabrizierten Ausrede dorthin, sich etwas ausborgen oder zurückbringen zu wollen, um kurz ein Wort mit Mrs Marble zu wechseln und herauszufinden, was wirklich vor sich ging. Doch sie alle zogen konsterniert wieder ab. Mrs Marble nämlich war in einem Zustand von Hetzerei und so heller Aufregung, dass sie ihnen keine einzige zufriedenstellende Antwort geben konnte. Und wieder von dannen gezogen, waren sie dann zu weiterem Rätselraten verdammt. Denn es fuhren noch mehr Möbelwagen vor Nummer 53 vor, und aus diesen luden Männer andere Möbel aus und trugen sie ins Haus hinein.

Die Nachbarn waren wirklich konsterniert. Sie hatten früher schon einmal gehört, dass Leute auszogen, und sie hatten gehört, dass Leute einzogen; und in vielen Fällen waren diese beiden Vorgänge so annähernd gleichzeitig wie nur möglich vollzogen worden. Und sie hatten, wenn auch viel seltener, schon einmal gehört, dass Leute neue Möbel kauften, obwohl sie nicht frisch verheiratet waren. Doch der gegenwärtige Ablauf verblüffte sie über die Maßen. Und dann erst die Möbel, die eintrafen! Nichts auch nur halb so Prachtvolles war jemals in der Malcolm Road gesehen worden. Sie sahen, wie die Einzelteile eines großen Empire-Bettes hineingetragen wurden, dessen Vergoldungen im Sonnenlicht aufflammten und das von kitschigen, pummligen Amorputten übersät war. Die Nachbarn schüttelten traurig die Köpfe und tuschelten untereinander, dass ein solches Bett sicher so einiges erzählen könnte, wenn es denn wollte. Dann kamen Sessel und Frisiertische und Kommoden, und alle von Gold glänzend und reich mit Schnitzereien verziert. An diesem Tag wurde recht wenig Hausarbeit erledigt in der Malcolm Road, denn die Hausfrauen waren zu sehr damit beschäftigt zuzusehen, wie die neuen Möbel in Nummer 53 hineingetragen wurden.

Auch spät am Nachmittag, als Mr Marble aus dem Büro

nach Hause kam, war die Arbeit immer noch nicht abgeschlossen. Sie war fast getan, doch die noch zu erledigende Aufgabe war die schwierigste von allen. Die Männer mühten sich einen Weg zu finden, den riesigen Mosaiktisch ins Haus zu schaffen. Mr Marble, ganz erfüllt von freudiger Aufregung, warf seinen Hut ab und eilte wieder hinaus, um den Transport dieses seines allergrößten Schatzes zu beaufsichtigen. Und so stand er ohne Hut im Sonnenschein an der Pforte da und gab nutzlose Anweisungen, während die Möbelpacker sich abplagten und schwitzten, um diese Monstrosität zu bewegen. Mrs Marble war ziemlich erschöpft auf einen der unbequemen vergoldeten Sessel gesunken.

Als Mr Marble auf dem Gehweg an seiner Pforte dastand, spürte er plötzlich eine Berührung am Arm und drehte sich herum. Es war eine Frau etwa mittleren Alters – nein, das wohl kaum, dachte Mr Marble, doch sie strahlte eine ganz unübersehbar üppige und sinnliche Reife aus. Und sie war gekleidet ... oh, einfach vollkommen. Sie war so gekleidet, wie Mr Marble sich manchmal etwas unbestimmt wünschte, seine Frau würde es tun. Trotz ihres fest sitzenden Hutes konnte jeder erkennen, dass ihr Haar kastanienbraun war, und sie hatte wunderbar dunkelbraune Augen und einen strahlenden Teint. Sie trug ihre Kleidung auf eine Art, wie nur ihre Landsmänninnen es vermochten – sie war Französin. Die ganze Ausstrahlung, die von ihrer Erscheinung ausging, war eine von Reife und Vollkommenheit – Überreife vielleicht, doch das machte sie, wenn überhaupt, nur umso anziehender in Mr Marbles Augen.

»Was für schöne Sachen Sie da bekommen 'aben«, sagte diese Erscheinung. »Ich 'abe sie schon die ganze Zeit lang bestaunt. Diese schönen Sessel und dieses entzückende Bett! Es erinnert mich an das, was ich im Louvre gesehen 'abe.«

Mr Marble war ein wenig aus der Fassung gebracht. Er war es nicht gewohnt, im hellen Sonnenschein von überreifen und absolut reizvollen Göttinnen angesprochen zu werden. Doch insgeheim freute er sich. Denn es war erfreulich, diese so lang begehrten Empire-Möbel bewundert zu sehen, vor allem von Leuten mit einem so eindeutig guten Geschmack wie dieser Frau. Mr Marble bemerkte, dass die Schwierigkeiten, die diese Unbekannte mit der Aussprache des Hauchlauts hatte, nicht die waren, die man für gewöhnlich in der Malcolm Road antraf. Und mit stolzer Freude über den eigenen Scharfsinn erkannte er in ihr die Französin, und der Kopf schwirrte ihm geradezu, während er sie ansah und sich bemühte, etwas zu erwidern. Die Unbekannte bemerkte seine Verwirrung, freute sich darüber und sprach rasch weiter, so als hätte sie nichts bemerkt.

»Es macht Ihnen doch nichts aus, dass ich mir Ihre schönen Sachen anse'e? Nein? Ich bin sehr un'öflich, ich weiß, und ich sollte es nicht tun, aber ich konnte nicht anders. Und jetzt 'abe ich es sogar noch zugegeben, und ich muss mich wirklich entschuldigen. Sie entschuldigen doch, *non*?«

Mr Marble hatte sich selbst jetzt noch nicht erholt, und diese charmante kleine Rede war in keiner Weise geeignet, dazu beizutragen. Er stammelte irgendeine banale Phrase hervor – das einzige verständliche Wort war »charmant« –, doch irgendwie nahm diese Unbekannte ihm schon bald die Nervosität, und sie plauderten miteinander, als wären sie schon seit Jahren befreundet. Und als sie den Mosaiktisch zu sehen bekam, stieß sie kleine Freudenschreie aus.

»Oh, wie entzückend!«, rief sie. »Er ist prachtvoll. Sie sind ein sehr vom Glück verwöhnter Mann, Mr –?«

»Marble«, sagte Mr Marble.

Im oberen Stockwerk drei Türen weiter sagte eine Frau zu einer anderen:

»Diese französische Damenschneiderin, Sie wissen schon, die sich Madame Collins nennt, hat sich grad an Mr Marble rangemacht. Das sind ja schöne Zustände, direkt auf der Straße vor seiner eigenen Haustür, während Betten und ich-weiß-nich-was-sonst-noch-alles an ihnen vorbeigetragen werden. Ich frag mich bloß, was Mrs Marble *dazu* wohl zu sagen hat.«

»Nichts, vermutlich. Die tritt nie nich für sich selbst ein. Er behandelt sie richtig gemein, hab ich gehört.«

Doch in diesem Augenblick kümmerten Mr Marble tratschende Nachbarinnen wenig. Er war viel zu sehr damit beschäftigt, etwas Nettes zu dieser wundervollen Frau zu sagen. Und er redete immer noch mit ihr, als der Tisch schließlich durch die schmale Flurtür bugsiert worden war und die Möbelpacker sich mit der verstohlenen Gier nach einem Trinkgeld in den Augen im Hintergrund versammelten. Gereizt bezahlte er sie und unterschrieb die Schriftstücke, die sie ihm hinhielten, ohne diese auch nur einmal zu überfliegen. Er wollte nicht, dass diese Frau jetzt schon ging, doch ihm fiel beim besten Willen nichts ein, womit er sie vielleicht noch aufhalten könnte. Dann kam seine Ehefrau heraus, und statt alles zu verderben, wie er gefürchtet hatte, rettete gerade das die Situation. Er konnte ja nicht wissen, dass Madame Collins' größter Wunsch in diesem Augenblick darin bestand, unter allen Umständen die Bekanntschaft dieser so offensichtlich wohlhabenden Leute zu machen. Sie hatte die Möbel bemerkt, und sie hatte Mr Marbles gut geschnittenen Anzug bemerkt, kürzlich erst beim besten Herrenschneider im Finanzviertel erstanden, und das Platinarmband seiner Armbanduhr, und sein goldenes Zigarettenetui. Das war eine Bekanntschaft, die lohnenswert wäre, hatte sie beschlossen. Und als Mrs Marble auftauchte, ging sie überschwänglich auf sie zu.

»Oh, Mrs Marble«, sagte sie, »ich 'abe soeben mit Ihrem

Ehemann über all Ihre schönen Möbel gesprochen. Entzückend, wirklich. Sie sind eine vom Glück verwöhnte Frau, so schöne Sachen, wie Sie 'aben.«

Mrs Marble erschrak darüber genauso wie ihr Mann vor zehn Minuten. Zitternd warf sie ihm einen Blick zu und fing ihr Stichwort des Einverständnisses von ihm auf.

»Wie schön, dass sie Ihnen gefallen«, sagte sie.

Und jetzt ergriff Mr Marble die Gelegenheit.

»Wollen Sie nicht hereinkommen?«, fragte er. »Dann können Sie sie in den Zimmern sehen. Und meine Frau kann Ihnen auch eine Tasse Tee machen.«

»'erzlichen Dank«, sagte Madame Collins und trat, in mehr als nur einem Sinne, über die Schwelle. Sie gingen durch den Flur ins Esszimmer. Es war unerträglich vollgestopft mit vergoldeten Sesseln und dem abscheulichen Mosaiktisch, dessen ordinäre Protzigkeit von der verblichenen geblümten Tapete und dem, was von den schäbigen alten Möbeln übrig war, nur noch betont wurde. In all dem Glänzen und Gleißen sah das Zimmer wie die Verkaufsbude eines Billigjuweliers aus. Madame Collins sah sich mit strenger Miene um, äußerte sich jedoch so charmant darüber und pries die Wirkung so zartfühlend, dass selbst die blasse, kleine Mrs Marble vor Freude errötete. Und Madame Collins gab sich auf eine so damenhafte Weise, dass alle glücklich waren anstatt, wie sie gefürchtet hatten, verlegen.

Sie tranken Tee aus einem silbernen Teeservice an dem vergoldeten und mit einem Mosaik verzierten Tisch – eine Kombination, die Madame Collins' wirklich sensibles Auge aufs Äußerste malträtierte –, und als diese schließlich aufstand, um zu gehen, tat es Mrs Marble, so müde sie auch war, fast leid und sie nahm Madame Collins' Einladung, sie zu besuchen, wann immer sie Lust dazu habe, freudig an.

Madame Collins war sehr taktvoll gewesen und hatte ihnen alles über ihre vergangenen und gegenwärtigen Umstände erzählt, ohne zu eindeutig zu werden. All dem hatten sie entnommen, dass sie Französin war und einer sehr alten und vornehmen Familie entstammte, die der Krieg ruiniert hatte – in Wirklichkeit war ihr Vater Bauer in der Normandie –, und dass sie einen englischen Offizier mit viel Talent, aber wenig Geld geheiratet hatte, sodass sie beide jetzt kämpfen mussten, um über die Runden zu kommen, sie mit ihrer Damenschneiderei und er mit seiner Musik. Mit einem schüchternen Lachen gab sie zu, dass er eigentlich Klaviere stimmte, dies aber ganz und gar nicht die Arbeit war, die ihm entsprach. Er hatte große Vorstellungen davon, was er erreichen könnte, und sie selbst – so sagte sie – glaubte ebenfalls daran. Mrs Marble vermittelte sie den Eindruck eines sich liebenden Paares, das eine große Zukunft vor sich hatte; auf Mr Marble jedoch wirkte es nicht so, als wäre diese Zuneigung allzu ausgeprägt. Daran ließ sich gut erkennen, was für eine raffinierte Frau Madame Collins war, selbst wenn man berücksichtigte, dass Mrs Marble enorm müde war und so sehr darauf bedacht, sich damenhaft zu geben und den Tee einzuschenken, dass sie die ein, zwei raschen Blicke, die Madame Collins Mr Marble aus ihren warmen, braunen Augen schenkte, gar nicht bemerkte.

Und als sie gegangen war, ließ sich der das Geld so gern mit vollen Händen ausgebende Mr Marble so sehr von seinen Gedanken treiben und begeistern, dass er sich eine ganze Zeit lang um nichts anderes kümmerte. Seine wilde Vorstellungskraft wilderte, ausnahmsweise einmal, in etwas anderem als den möglichen Gefahren einer Verhaftung, und er kostete es aus. Er verträumte den ganzen Abend auf höchst angenehme Weise. Ja, ihn störte nicht mal, dass John und Winnie es wegen des erhabenen Goldrandes schwierig fanden, auf dem Mosaiktisch ihre Hausaufgaben zu machen; und er kümmerte sich auch nicht um Mrs Marble, die geduldig das Durcheinander aufräumte, das die Männer beim Möbeltransport angerichtet hatten, und die sich damit abplagte, das mit Amorputten überladene Empire-Bett im Eheschlafzimmer mit Matratzen und Laken zu versehen.

Doch er zahlte für diese leichte Entspannung. Er musste natürlich früher oder später sowieso dafür zahlen, doch so wie es sich traf, ereignete sich dies gleich am nächsten Abend.

Mr Marble saß rauchend in dem glänzenden Esszimmer. Er war immer noch glücklich und zufrieden; ja, er ignorierte sogar, wie ungemütlich der vergoldete Empire-Sessel war, in dem er saß; draußen im Flur stand eine Kiste voller Bücher, die er an diesem Vormittag bestellt hatte – Bücher über Verbrechen, Bücher über Kriminalfälle, all die Bücher, für die er auf den Rückseiten des beschränkten Sortiments, das die öffentliche Bibliothek zu bieten hatte, Werbeanzeigen gesehen und die er sich während seiner Armut herbeigesehnt hatte –, und wenn ihm danach war, würde er sie in aller Ruhe auspacken und im Wohnzimmer aufstellen, sodass er sie durchblättern konnte, wann immer er wollte. Doch er wurde rüde gestört. Mrs Marble war ins Zimmer gekommen, hatte sich gesetzt und fummelte jetzt nervös an ihrer Näharbeit herum. Hätte Mr Marble nur einen Gedanken an diesen Umstand verschwendet, so hätte er gewusst, dass sie versuchte den Mut aufzubringen, ihn um etwas zu bitten, doch er war zu sehr mit Nachdenken über Madame Collins und deren braune Augen beschäftigt – auch das viele Geld hatte etwas damit zu tun –, und so war es nur natürlich, dass ihre Bitte ihn völlig unerwartet traf.

»Will«, sagte Mrs Marble, »findest du nicht, dass wir jetzt, wo wir es uns leisten können, Mrs Summers wieder kommen lassen sollten? Dieses Haus bedeutet eine Menge Arbeit für mich, und jetzt, wo wir all diese neuen Möbel haben …«

Mr Marble saß völlig reglos da. Seine Gedanken aber waren zu all den Büchern über Verbrechen gerast, die er gelesen hatte. Wie oft schon hatte er sich eingeschärft, dass er nur auffliegen würde, wenn er einen dummen Fehler machte, so wie die Leute, deren unglückliche Lebensgeschichten in ›Historische Tage vor den Schwurgerichten‹ erzählt wurden. Er würde keinesfalls irgendeinen dummen Fehler machen. Im Grunde war Mrs Summers ja eine harmlose Person, doch sie frönte dem üblichen Laster aller Haushaltshilfen – Neugier. Wer konnte schon wissen, was sie nicht alles herausfinden würde. Oder vielleicht würde seine Ehefrau etwas sagen, das ihr in den anderen Häusern, in denen sie arbeitete, die Zunge löste. So etwas war nur allzu absehbar. Es machte Mr Marble nichts aus, wenn über ihn getratscht wurde – es gefiel ihm für gewöhnlich sogar recht gut. Doch inzwischen wollte er keinen Klatsch mehr über sich verbreitet wissen. Das konnte er sich einfach nicht leisten. Er konnte mit plastischer Klarheit voraussehen, was dann passieren würde. Seine Ehefrau würde sorglos ein, zwei Worte fallen lassen, und Mrs Summers würde sie ebenso sorglos, doch mit einem üppigen Anteil an fantasievollen Einzelheiten wiederholen. Die Frau, die ihr zugehört hatte, würde es wiederum jemand anderem erzählen, und noch ehe einer »Jack Robinson« sagen könnte, würden allerlei Geschichten herumschwirren. Dank der neuen Möbel gab es schon jede Menge Klatsch über ihn; und jeder weitere Zusatz könnte in einer Katastrophe enden – anonyme Briefe an die Polizei oder ein heimlich herumschnüffelndes Komitee von Nachbarn. Es würde natürlich niemand irgendetwas über die wahre Sachlage wissen, doch Mr Marble wollte nicht, dass irgendein Verdacht auf ihn fiel, wie unbegründet auch immer dieser sein mochte. Denn seine Situation war nicht vollkommen sicher. Wenn das Interesse der Polizei erst so weit geweckt wäre, dass die Detectives eine Routineüberprüfung all seiner finanziellen Angelegenheiten machen würden, könnten sie im Hinblick auf gewisse Banknoten, die an einem stürmischen Winterabend im letzten Jahr in seinen Besitz übergegangen waren, spielend etwas finden, das sie interessieren würde. Und es war nicht nur Geld, das hier auf dem Spiel stand, oder Behaglichkeit, oder auch Empire-Möbel. Etwas ganz anderes war in Gefahr, sein Leben! Die viele Lektüre von Büchern über Verbrechen hatte ihm eine recht genaue Vorstellung von dem normalen Procedere wie Todeszelle und Galgen verschafft. Allein bei dem Gedanken wand er sich vor Qual. Er durfte keinesfalls irgendein Risiko eingehen. In seiner Vorstellung wurde er bereits eines trüben Morgens aus seinem Bett gerissen und halb ohnmächtig einen grauen Korridor entlanggeschleift, auf eine geteerte Holzbaracke zu, in der ihn eine Falltür und eine Schlinge erwarteten. Schweiß stand ihm auf der Stirn, als er dieses Bild zur Seite schob und das Gesicht seiner Ehefrau zuwandte.

»Nein«, sagte er, »wir wollen hier keine Haushaltshilfe haben. Du wirst allein zurechtkommen müssen.«

Gegen diese willkürliche Entscheidung protestierte sogar Mrs Marble.

»Aber, Will, Schatz«, begann sie, »du verstehst nicht, glaube ich. Ich bitte doch um nichts, wirklich nicht. Du gibst mir neun Pfund Haushaltsgeld die Woche, und das ist sehr viel mehr, als ich jemals ausgeben kann. Mit all dem Geld könnten wir uns ein Dienstmädchen leisten, das bei uns wohnt, vielleicht sogar zwei Dienstmädchen, mit Haube und Schürze und allem. Aber das will ich nicht. Das würde viel zu viel Schwierigkeiten machen. Ich möchte bloß, dass die alte Mrs

Summers drei- oder viermal die Woche kommt und mir bei den schweren Arbeiten hilft. Das ist zu viel für mich allein, wirklich und wahrhaftig.«

»Was, in diesem kleinen Haus?«

»Natürlich *könnte* ich, wenn's sein müsste, Will. Aber es ist doch albern, nicht wahr, dass ich fegen, Staub wischen und abwaschen soll, wenn es so viele Leute gibt, die dankbar dafür wären, es für mich machen zu dürfen? Und mir tut immer noch der Rücken davon weh, dass ich gestern diese Matratzen herumgewuchtet habe.«

»Unsinn«, erwiderte Mr Marble.

Mrs Marble war nicht fähig, ein Argument lange aufrechtzuerhalten. Sie hatte bereits zwei Reden gehalten, die beide dreimal so lang waren wie ihre üblichen Bemerkungen, und im Augenblick konnte sie nicht mehr tun. Also zog sie sich in betrübtes Schweigen zurück, während Mr Marble gegen den Gedankenstrom ankämpfte, den der Vorschlag seiner Ehefrau ausgelöst hatte. Seine Vorstellungskraft quälte ihn in den folgenden Minuten mit besonderer Bösartigkeit.

Mrs Marbles Gedanken arbeiteten ebenfalls. An diesem Tag waren die ersten der Sachen angekommen, die sie am letzten Samstag eingekauft hatte – große Schachteln, geliefert von einem Botendienst und voll der reizendsten Dinge, die ihre Fantasie sich je ausgemalt hatte. Liebevoll hatte sie sie betrachtet. Da waren Hüte, wunderbare Hüte, die ihr ganz fabelhaft standen, auch wenn sie, wie sie sich selbst eingestand, nicht allzu viel Wert auf die modische Glockenform mit ihren äußerst biegsamen Krempen legte. Da waren Pullover, damenhafte Pullover, in denen sie sehr gut aussah, wie sie erstaunt feststellte, denn bis dahin hatte sie Pullover als nur für junge Mädchen geeignet betrachtet. Da waren Schachteln über Schachteln mit Unterwäsche, deren Preis sie anfangs schockiert hatte, bis sie sich in dem Wissen um all das Geld, das sie ausgeben konnte, ein Herz fasste. Noch nicht dabei waren natürlich das geschneiderte Kostüm und das Mantelkleid, für die eine Damenschneiderin ihre Maße genommen hatte, die überraschend in dem Geschäft aufgetaucht war, nachdem sie ihre anderen Einkäufe erledigt hatte – überraschend für Mrs Marble, die mit dem System der Provisionsteilung von Damenbekleidungsgeschäften und den Annehmlichkeiten eines Telefons nicht vertraut war.

Doch dieses Kostüm und das Mantelkleid hätten ihr nicht viel genützt, selbst wenn sie bereits da gewesen wären. Mrs Marble hatte sich tatsächlich dazu aufgerafft, einiges von der Unterwäsche anzuziehen, unbezahlbare Sachen, warm und leicht zugleich, die so viel kosteten, wie ihr Ehemann in einem Monat verdient hatte, bevor all das hier begann; doch sie hatte es nicht übers Herz gebracht, auch ein Paar der dicken Seidenstrümpfe anzuziehen, während sie immer noch so viel Hausarbeit zu machen hatte, und so trug sie über der wundervollen Unterwäsche ihr übliches leicht schmuddeliges Hauskleid. Da die anderen Sachen bald kommen würden, hätte sie genauso gut ihr bestes Kleid anziehen können, doch das hatte sie nicht über sich gebracht bei all dem Abwasch, den sie an diesem Abend noch zu erledigen hatte. Mrs Marble war gekränkt. Und außerdem war sie müde, und der Rücken tat ihr wirklich weh.

Vor ein oder zwei Tagen hatte sie sich ausgemalt, wie sie am Abend gemütlich dasäße, in einem wundervollen Kleid und mit dem herrlich sinnlichen Gefühl von seidener Unterwäsche auf der Haut. Doch nun saß sie hier und trug ein schäbiges Kleid, und in der Küche wartete eine ganze Spülschüssel voll Geschirr darauf, dass sie sich endlich dem Abwasch widmete. Und das war es, was sie schließlich zu einer erstaunlichen Auflehnung anstachelte – einer sehr milden Auflehnung, doch jede Art der Auflehnung war erstaunlich bei Mrs Marble.

»Ich werde Mrs Summers tagsüber kommen lassen, wenn du gar nichts davon mitkriegst«, sagte sie.

Diese Worte ließen Mr Marble panikartig aus seinem Sessel auffahren. Das wäre ja noch schlimmer als das andere; es würde einen noch viel giftigeren Klatsch in Gang setzen als jemals zuvor, und zudem einen Klatsch, der genauer auf den echten Verdacht zielen und diesen nähren würde, denn Mrs Marble würde Mrs Summers sicher erzählen, dass er es nicht leiden konnte, andere Leute im Haus zu haben. Er starrte sie mit einer furchtbaren Unerbittlichkeit an.

»So etwas darfst du niemals tun, niemals«, sagte er mit brechender und sich schrill überschlagender Stimme. Seine geballten Fäuste zitterten vor innerem Aufruhr. Mrs Marble konnte ihn nur überrascht und sprachlos ansehen.

»Niemals. Hast du verstanden?«, schrie er.

Sein Aufruhr übertrug sich auf seine Ehefrau, und sie fummelte nervös an der Näharbeit auf ihrem Schoß herum.

»Ja, Schatz.«

»Ja, Schatz! Ja, Schatz! Spar dir dein ewiges ›Ja, Schatz‹. Du musst mir versprechen, ganz fest versprechen, dass du das niemals tun wirst. Sollte ich jemals so etwas herausfinden, dann werde ich ... werde ich ...«

Mr Marbles schrilles Geschrei erstarb, als die Zimmertür aufging. John war die Treppe hinuntergerannt, als er die hysterisch kreischende Stimme seines Vaters hörte. Es war noch nicht allzu lange her, dass er sie zuletzt in dieser Lautstärke gehört hatte, und danach hatte er seine Mutter ins Bett hinauftragen müssen, und sie hatte einen blauen Fleck im Gesicht gehabt.

John stand an der Tür mit dem Licht im Gesicht. Mr Marble wich leicht zurück und verzog zähnebleckend den Mund. Wieder war er die in die Enge getriebene Ratte. Hass schoss vom Vater zum Sohn. Es war nicht Johns Fehler, und zu diesem Zeitpunkt war es nicht einmal der von Mr Marble. Denn James Medland, er, der an jenem denkwürdigen Abend vor fast einem Jahr dieses Zimmer betreten hatte, war letzten Endes eben doch Johns Cousin gewesen – es bestand eine beträchtliche Familienähnlichkeit. Und als John dort so an der Tür stand, stand er in der gleichen Haltung und in dem gleichen Licht da wie Medland an jenem Abend, als er das Esszimmer betrat, nachdem Winnie ihm die Haustür geöffnet hatte. Kein Wunder also, dass Mr Marble John hasste und ihn schon hasste, seit er die Ähnlichkeit an jenem Abend, als er seine Ehefrau geschlagen hatte, zum ersten Mal bemerkte.

Der Vater sah den Sohn an, der Sohn sah den Vater an. Das Zimmer blitzte von vergoldetem Mobiliar. Der Diamant in Mr Marbles Krawattennadel funkelte glitzernd, während er genau so langsam vor John zurückwich, wie dieser bedrohlich auf ihn zukam. John war gekommen, um seine Mutter zu schützen, doch die verzweifelte Herausforderung in der Haltung seines Vaters hatte ihn an die Grenzen seiner Selbstbeherrschung geführt. Und es war Mrs Marble, die die Situation rettete. Starr vor Schreck sah sie von dem knurrenden Antlitz ihres Ehemannes in das wutverzerrte Angesicht ihres Sohnes. Und mit größter Angst warf sie sich dazwischen.

»John, geh raus«, sagte sie. »Geh ... mach schon ... es ist alles gut.«

John hielt inne, und seine Hände lösten sich. Mrs Marble hatte sich die Hand vor die Brust geschlagen; denn in genau diesem Augenblick hatte sie gesehen, was ihr Ehemann schon lange zuvor gesehen hatte, und vermutete, dass es das war, was die Brutalität in seinem Gesicht herbeigerufen hatte. Sie hatte Angst, aber sie wusste noch nicht genau warum.

»Geh, geh, geh«, jammerte Mrs Marble und fügte dann mit allergrößter Anstrengung hinzu: »Du musst dir keine Sorgen machen, John. Geh besser zu Bett. Gute Nacht, mein Kleiner.«

Als John genauso still und wortlos gegangen war, wie er hereingekommen war, sank Mrs Marble auf einen Stuhl, barg das Gesicht in ihren auf dem vergoldeten Tisch liegenden Armen und schluchzte und schluchzte untröstlich, während ihr Ehemann mit in den Hosentaschen vergrabenen Händen missmutig neben ihr dastand und das grelle Glitzern der überladenen Möbel sich über ihn lustig machte, sich über seine Hoffnungen für die Zukunft lustig machte und auch über seine heimlichen, lüsternen Träumereien von Madame Collins.

9

Nach diesem Vorfall verlief eine Zeit lang alles genau so, wie Mr Marble es sich gewünscht hätte. Johns Bewerbung um Aufnahme am Syndenham-Gymnasium wurde positiv beschieden, und er ging ohne weiteres Murren dorthin. Er war jetzt schon fast sechzehn. Mehr Schwierigkeiten gab es wegen Winnie. Mr Marble beschaffte sich von Vermittlungsagenturen eine Liste all der teureren Mädcheninternate, doch seine Bemühungen, Winnie an einem davon unterzubringen, liefen eine Zeit lang ins Leere. Sie zeigten eine nur natürliche Zurückhaltung, ein Mädchen von fast fünfzehn in ihrer Mitte aufzunehmen, das aus einem Haus in einer zweifelhaften Straße in einer der südlichen Vorstädte Londons kam und bisher an einer staatlichen Volksschule und an einer Realschule unterrichtet worden war. Aber schließlich nahm ein Internat in Berkshire sie auf – zufällig das teuerste von allen –, und dann herrschte große Aufregung und Betriebsamkeit, um die umfangreiche Ausstattung herbeizuschaffen, die laut Internatsvorschriften erforderlich war. Eine bestimmte Art von Schulkleid musste gekauft werden, und Kleider für den Nachmittag und für den Abend und, die Krönung von allem, ein Reitkostüm und Stiefel. Mr Marble war entzückt. Er schien tatsächlich noch stolzer auf Winnies Ausstattung zu sein als diese selbst.

Und so kam es, dass an demselben Tag nach Ostern, an dem Mr und Mrs Marble – er in seinem allerbesten Anzug, um die Eltern der anderen Mädchen und auch die anderen Mädchen zu beeindrucken, sie eher tränenreich und in einer Aufmachung, der man den dafür ausgegebenen Betrag nicht ansah – Winnie vom Bahnhof Paddington verabschiedeten, auch John die blau-schwarze Kappe des Syndenham-Gymnasiums aufsetzte und sich auf den zwei Meilen langen Fußweg dorthin machte, gar nicht glücklich über all die vor ihm liegenden rätselhaften Dinge an der neuen Schule wie Rugby und Benimmregeln.

Ja, es stimmte, sein Vater hatte sich in der letzten Zeit ihm gegenüber enorm anständig gezeigt. Er hatte ihm fast all das Taschengeld gegeben, das er haben wollte, und in einer kleinen angemieteten Garage am Ende der Malcolm Road stand das sehr große Zweizylinder-Motorrad, das er sich so sehnlich gewünscht hatte. John hatte in der letzten Woche durchschnittlich hundert Meilen am Tag darauf zurückgelegt, sich begeistert mit all den mechanischen Finessen vertraut gemacht, tapfere und manchmal auch erfolgreiche Versuche unternommen, Hügel »im Sattel« zu erklimmen, und so all die landschaftlich wunderschönen Ecken entdeckt, die in der Nähe von London liegen, aber mit dem gewöhnlichen Fahrrad nicht zu erreichen sind. Eine gute Möglichkeit, um zu vergessen, sich von der alten Schule zu verabschieden, an der er fast fünf Jahre lang glücklich gewesen war – und auch, sich von seinen alten Freunden zu verabschieden.

John war todunglücklich. Und das lag nicht allein an der neuen Schule, keineswegs. Es lag an den Zuständen zu Hause. Sein Vater war an fünf von sieben Abenden betrunken, und das war noch Johns geringstes Problem. Meistens störte Mr Marbles Trunkenheit den Rest der Familie gar nicht so sehr, wie man erwartet hätte, denn bei diesen Gelegenheiten zog er sich sehr rigoros zurück – und starrte, eingeschlossen im Wohnzimmer, in den Garten hinaus. John hatte bisher nur zweimal aktiv zwischen seine Mutter und seinen Vater gehen müssen aus Angst, dass dieser sie verletzen könnte, doch tief in seiner Seele wusste John, dass es bei ihm zu Hause ein noch viel größeres Problem gab als die Trunkenheit. Seine Mutter sah verhärmt und dünn aus, und er hatte öfter den Verdacht, dass sie den ganzen Tag lang geweint hatte. Das lag vermutlich an dem unerklärlichen Missmut seines Vaters, zusammen mit ihrer Erschöpfung, die eine Folge von dessen unvernünftiger Weigerung war, ihr die Anstellung einer Haushaltshilfe zu erlauben. Doch John konnte keinen eindeutigen Beginn dieses Missmuts und der Querköpfigkeit ausmachen, denn Mr Marble hatte schon lange vor James Medlands einzigem Besuch in der Malcolm Road 53 mehr getrunken, als gut für ihn war, und auch seine Ehefrau vernachlässigt. Für John waren die unangenehmen Züge im Charakter seines Vaters wie Pflanzen, die langsam wuchsen und giftige Blüten trieben.

John wusste nur, dass es irgendein Problem in der Familie gab, ein schreckliches Problem sogar, und er meinte, ganz kindlich, dass es am Hass seines Vaters auf ihn lag, und verübelte ihm diesen mit einem ebenso erbitterten Hass. Die Geschenke, mit denen sein Vater ihn in der letzten Zeit so freigebig überschüttet hatte, hatte er angenommen, weil ihm kaum eine andere Möglichkeit offenstand; aber er hatte sich nicht bedankt, denn ihm war klar geworden, dass Mr Marble ihn, mehr als alles andere, mit seiner Freigebigkeit zu blenden wünschte, und da war – irgendwo – der heimliche Verdacht, dass diese Geschenke eine Art Bestechung waren und ihn bei guter Laune halten sollten.

Doch mit fünfzehn – oder fast sechzehn – hatte John all diese Dinge nicht mit der Klarheit des gedruckten Wortes durchdacht. Seine Art zu denken war immer noch kindlich und ganz von Instinkt und Intuition bestimmt, doch das machte ihn nicht weniger unglücklich. Genau genommen tendierte es eher in die andere Richtung.

Und es war keine große Überraschung, dass John während dieses Trimesters ganz auf sich allein gestellt blieb und sein schon recht ausgeprägter Hang zum Einzelgängertum sich unter dem Druck der Umstände noch verstärkte. In der Schule war ihm die undankbarste aller Rollen zugefallen: die des alten Neuen. Als Dreizehnjähriger kommt man in einer neuen Schule in eine untere Klasse, wo man auf Schicksalsgenossen trifft, mit denen man sich zusammentun kann; es wird nicht erwartet, dass man die so ungeheuer wichtigen Benimmregeln bereits bis ins Letzte kennt; und man schließt automatisch Freundschaften. Doch John war schon in der Übertrittsstufe, nur noch eine Klasse unter der Oberstufe. Die anderen in seiner Klasse hatten schon vor langer Zeit ihre eigenen speziellen Gruppen und Cliquen gebildet, und in nicht einer davon war Platz für John. Ja, sie machten sich nicht einmal die Mühe, ihre Schadenfreude über die ein oder zwei Schnitzer, die ihm aus Unwissenheit unterliefen, zu verhehlen, und es hob – wenn die Wahrheit denn gesagt werden muss – ihre Meinung von ihm auch nicht gerade, als sie erfuhren, dass er zuvor auf der eine Meile entfernten Realschule gewesen war, für die sie nichts als absurde Verachtung übrighatten. John verübelte ihnen ihr Benehmen ihm gegenüber, verübelte es ihnen bitter, und er war unklug genug, es ihnen zu zeigen. Das machte die Jagd auf den »jungen Murmel« in den Augen seiner Schulkameraden von einem Zeitvertreib geradezu zu einer Pflicht. Allein sein Name gab ihnen ja schon unerschöpflichen Anlass für Witzeleien. Es endete, wie es unausweichlich enden musste, nämlich damit, dass John sich voller Empörung von ihnen abwandte, Gott dankte, dass er nur Tagesschüler war, und bloß dann in Kontakt mit seinen Kameraden trat, wenn die unumgänglichen Regeln des obligatorischen Schulsports ihn dazu zwangen.

Und bedauerlicherweise war es genauso schlimm mit den Kameraden, mit denen er an der anderen Schule befreundet gewesen war. Er gab sich redlich Mühe, sie zu besuchen und in Kontakt mit ihnen zu bleiben, doch bald schon erkannte er, wie sehr sie sich entfremdet hatten. Es lag Misstrauen in ihrem Benehmen ihm gegenüber, nur eine Spur – doch sie waren stets bereit, jedes noch so kleine Anzeichen an ihm, das auf Herablassung deuten könnte, zu registrieren und empört von sich zu weisen. Auch ihre Freizeit unterschied sich jetzt voneinander, denn die Realschüler hatten am Samstag den ganzen Tag frei, während John am Vormittag in der Schule war und stattdessen den Mittwochnachmittag zur Verfügung bekam, und die langen Ausflüge, die sie zu machen pflegten, konnten nicht um die Hälfte gekürzt werden, damit er Zeit hätte, sich ihnen anzuschließen. Außerdem besaß er jetzt nicht ein Motorrad, sodass er sowieso keinen Sinn mehr darin sehen würde, mit ihnen auf einem gewöhnlichen Fahrrad zu schwitzen? Und ganz ehrlich gesagt kam John schon bald die Lust aufs Pedaletreten abhanden, jetzt, da er wusste, wie viel Spaß es machte, mit vierzig Meilen die Stunde auf seinem Zweizylinder-Koloss dahinzubrausen. Ein- oder zweimal waren sie auf Johns nachdrückliche Einladung hin in die Malcolm Road 53 gekommen, doch sie waren kaum angekommen, da bereute John ihren Besuch auch schon wieder. Sie hatten sich überhaupt nicht wohlgefühlt in den Zimmern mit all diesen prunkvollen Möbeln. Mr Marble war nicht gerade höflich zu ihnen gewesen und hatte erkennen lassen, dass er nicht ganz nüchtern war; und dem äußerst sensiblen John war schließlich der Verdacht gekommen, dass sie untereinander über so manches im Hause Marble Witze rissen, hatte sich selbst für die Illoyalität, dass er ihnen so was zutraute, gehasst und dennoch diesen Verdacht nicht wieder ablegen können.

Alles in allem betrachtet war es gut, dass John zumindest den Trost hatte, den ihm der Zweizylinder-Koloss bieten konnte. Diese wuchtige Maschine wurde so etwas wie ein Bruder für ihn, teilte seine Probleme und gab ihm mit den sehr wenigen mechanischen Schäden, die sie aufwies, etwas anderes zum Nachdenken als die Trunkenheit seines Vaters und das Chaos zu Hause.

Nur um Mr Marble Gerechtigkeit widerfahren zu lassen sei angemerkt, dass er nicht das Geringste von den Wirren im Leben seines Sohnes ahnte. Er hatte ja auch anderes, über das er nachdenken musste, Angelegenheiten, bei denen es um Leben und Tod ging. Die alten Obsessionen hatten ihn sehr fest im Griff, trotz all der Ablenkung, die sich dadurch bot, dass er einen Sohn auf dem Gymnasium hatte und eine Tochter im teuersten Internat von Berkshire sowie ein neues Interesse in seinem Leben, das sich auf ein Haus in der nächsten Straße richtete, dessen Pforte ein Messingschild mit der Aufschrift »Madame Collins, Kleider à la mode« zierte. Doch die Abende, an denen die Verlockungen dieses Hauses nicht reichten, um ihn von der ständigen Bewachung des Gartens von seinem Fauteuil d'Empire im Wohnzimmer aus abzulenken, waren zahlreich.

Marble hatte jetzt mehr zu verlieren: ein sicheres Einkommen, ein Haus voller Empire-Möbel, eine rasant anwachsende und vielseitige Bibliothek von Büchern zum Thema Verbrechen, so viel Whisky, wie er trinken konnte, eine Frau, die mehr als nur freundliches Interesse an ihm zeigte. Doch dem Ganzen lag eine gewisse Ironie zugrunde, denn je mehr er zu verlieren hatte, umso bestrebter war er, es nicht zu verlieren, und umso schwerer fiel es ihm, sich an all diesen unbezahlbaren Besitztümern zu erfreuen. Die Monate dieses Sommers rauschten an ihm vorüber wie ein Mahlstrom; er bekam kaum mit, was um ihn herum geschah. Die Süße des Lebens hinterließ einen bitteren Geschmack an seinem Gaumen, denn sie war vergiftet von einer vorauseilenden Sorge, die allgegenwärtig war und immer noch weiter anwuchs.

Das Sommertrimester verflog nur so. Es schien ihm kaum eine Woche vergangen zu sein, seit er Winnie am Bahnhof Paddington verabschiedet hatte, da begann seine Ehefrau schon Vorbereitungen für ihre Rückkehr zu treffen. Und dann sprach Mrs Marble von Urlaub.

»Urlaub«, sagte Mr Marble unbestimmt.

»Ja, Schatz. Wir fahren diesen Sommer doch weg, oder?«

»Ich weiß nicht«, erwiderte Mr Marble. »Tun wir das?«

»Letzten Sommer sind wir gar nicht weggefahren«, sagte Mrs Marble, »und in dem davor hatten wir bloß die paar Tage in Worthing. Wir können es uns doch leisten, oder?«

»Hm, ja. Das schon. Aber ich weiß nicht, welche Regelung im Büro vorgesehen ist.«

»Oh, Schatz«, sagte Mrs Marble. Sie hatte sich schon auf den Urlaub in diesem Jahr gefreut, und sei es auch nur, um endlich einmal von dieser Hausarbeit wegzukommen und eine Gelegenheit zu haben, all die wunderbaren Sachen zu tragen, die sie gekauft hatte.

»Du solltest aber auf jeden Fall fahren, finde ich«, sagte Mr Marble, der felsenfest entschlossen war, dass zumindest er dieses Haus nicht unbewacht lassen würde. »Ich werde ein schönes Hotel für dich und die Kinder aussuchen. Und wenn sich im Büro die Möglichkeit ergibt, komme ich vielleicht für ein paar Tage dazu.«

Annie Marble sog hörbar den Atem ein. Ein Hotel! Kein Abwasch, keine Schererei ums Essen, Bedienstete, die taten, was sie ihnen sagte; es hörte sich an wie das Paradies. Nur als sie über mögliche Gründe für Mr Marbles großzügiges Angebot nachdachte, spürte sie ganz flüchtig eine Angst in ihrem Herzen aufflackern; doch ihr Argwohn war zu gestaltlos, als dass sie sich große Sorgen gemacht hätte, und es gab zudem zwei mögliche Gründe für Mr Marbles Wunsch, allein im Haus zu bleiben, und Mrs Marble war ein wenig zu konfus, um sie zu entwirren. Stattdessen nahm sie dankbar an.

»Aber meinst du wirklich, dass du zurechtkommen wirst, Schatz?«, fragte sie aus reinem Anstand.

»Natürlich komme ich zurecht.« Und das besiegelte die Angelegenheit.

Bald darauf kam Winnie, ungewöhnlich gereift und rasant das frühe Versprechen von Schönheit erfüllend, aus dem Internat zurück. Sie schien irgendwie ein anderes Mädchen zu sein. Ihre Art zu sprechen hatte sich verändert. Nicht, dass sie je mit breitem Cockney-Akzent gesprochen hätte – ihre anderen Schulfreundinnen hatten sie immer als »fein« betrachtet, doch der leichte Anklang eines Näselns, wenn sie die höheren Töne anschlug, war jetzt verschwunden, ja sie benutzte diese höheren Töne gar nicht mehr. Sie sprach kehliger – »geldgeschwängert« lautete die knappe, in diesem Stadtgebiet beliebte Beschreibung –, und sie war sehr viel selbstbeherrschter und gelassener als früher, bevor sie ins Internat ging. Mr Marble freute sich, freute sich so sehr, wie es ihm zu dieser Zeit möglich war – er machte gerade eine ziemlich schlechte Zeit durch –, und Mrs Marble, aber das war wohl unvermeidlich, tat es ausgesprochen leid. Winnie war ihr entwachsen.

Doch weder ihr Vater noch ihre Mutter bemerkten bei all

dem Aufhebens, das sie um ihr Eintreffen machten, das leichte Anheben ihrer Augenbraue, als sie das wundervolle Esszimmer mit dem wundervollen Mosaiktisch betrat. Winnie hatte inzwischen gelernt, wie schöne Zimmer aussahen, und der schon halb vergessene Prunk der vergoldeten Möbel im Kontrast zu der verblichenen Tapete wirkte unbeschreiblich vulgär auf sie.

Später machte sie ihrer Mutter gegenüber eine Andeutung in dieser Richtung, doch ihre Bemerkung wurde nicht allzu dankbar aufgenommen. Mrs Marble begann sogleich an ihrer Näharbeit herumzufummeln – ein deutliches Zeichen dafür, dass sie verlegen war.

»Dein Vater hat ein paar eigenwillige Vorlieben, Schatz«, sagte sie. »Ich würde es ihm gegenüber nicht erwähnen, wenn ich du wäre. Er hat nichts dafür übrig, viele Leute im Haus zu haben, und dem wäre wohl so, wenn wir hier renovieren würden. Und außerdem« – sie zeigte sich ein wenig entrüstet, denn sie war genauso stolz auf die vergoldeten Möbel wie ihr Ehemann – »finde ich, dass dieses Zimmer doch sehr schön aussieht. In dieser Straße hat bestimmt keiner irgendetwas in seinem Haus, das auch nur halb so gut ist. Es gibt bestimmt nicht einmal in London viele Zimmer wie dieses hier. Und natürlich sind alle Zimmer im Haus auf dieselbe Weise eingerichtet. Madame Collins sagt, dass es genauso schön ist wie im Louvre, und sie muss es wissen, denn sie ist schon einmal dort gewesen.«

Und das beendete sogleich jede Diskussion über diese Angelegenheit, denn Madame Collins war inzwischen eine sehr gute Freundin der Familie. Aber Winnie hätte ohnehin kein Streitgespräch darüber begonnen. Sie merkte sich das Ganze einfach nur und verlor kein weiteres Wort darüber. Das war typisch für Winnie.

Doch Mrs Marble war inzwischen schon mittendrin in dem Thema, das so viele ihrer wenigen Gedanken beschäftigte.

»Du darfst nicht schlechter denken von deinem Vater, Schatz, nur weil er ... weil er ... manchmal ein bisschen eigenwillig ist. Er macht sich um so vieles Sorgen, weißt du, und du solltest dankbar sein für all das, was er getan hat.«

»Das bin ich natürlich«, sagte Winnie liebenswürdig. Es war ihr noch nie in den Sinn gekommen, dankbar zu sein.

»Das freut mich. Ich ... ich hatte ein bisschen Angst, dass es dir hier nicht mehr ... nicht mehr ... gefallen könnte, wenn du aus deinem feinen Internat zurückkommst.«

»Du meinst, weil Vater trinkt?«

»Winnie!« Mrs Marbles Gesichtsausdruck verriet, wie schockiert sie darüber war, dass die Dinge so beim Namen genannt wurden.

»Aber das tut er doch, Mutter, oder etwa nicht?«

»J-ja, ich glaube schon. Aber nicht sehr viel, Schatz. Nicht mehr, als man erwarten würde, wenn man bedenkt, wie viele Sorgen er wegen seiner Geschäfte hat. Und du solltest nicht auf diese Art darüber reden, Winnie. Das klingt gar nicht nett.«

Die arme Mrs Marble hatte inzwischen fast genauso viele Sorgen wie ihr Ehemann. Ja, vielleicht war es in ihrem Fall sogar noch schlimmer, denn sie wusste eigentlich gar nicht, weshalb sie sich Sorgen machen musste, und ihre nicht allzu überbordende Vorstellungskraft erlaubte ihr nicht einmal, Vermutungen anzustellen. Und der besorgte Versuch, ihren Ehemann vor ihren Kindern gegen namenlose und ungreifbare Vorwürfe zu verteidigen, war fast genauso anstrengend wie alles andere zusammengenommen.

Denn ihre Kinder waren ihr mittlerweile nur noch ein schwacher Trost. John war linkisch und schüchtern, und sie konnte nichts wissen von der Liebe, die er für sie empfand, zumal die Erinnerung daran, dass er sie vor ihrem Ehemann hatte beschützen müssen, wie ein Hindernis zwischen ihnen stand und sie beide nicht die Courage besaßen, es mit einem großen Satz zu überwinden. Und Winnie war – sogar Mrs Marble empfand das so – mittlerweile einfach ein bisschen was *Besseres.*

Doch sogar Winnie war erst einmal besänftigt, als sie hörte, dass sie einen Monat lang im Grand Pavilion Hotel in einem sehr schicken Badeort an der Südküste wohnen würden. Das wäre sehr viel schöner als die ganzen Ferien über in der Malcolm Road zu bleiben, und es wäre etwas, wovon sie den Mädchen erzählen könnte, wenn sie wieder ins Internat zurückkehrte. Einige von ihnen mochten vielleicht nach Frankreich fahren und andere nach Italien, doch nur wenige würden ihre Ferien an einem Ort wie dem Grand Pavilion Hotel verbringen. Dagegen sprach schon die Vernunft ihrer Eltern.

Und dann das Packen, und die Vorbereitungen! Winnie half ihrer Mutter, deren erstaunliche Garderobe auszusortieren. In den kleinen Schränken im Elternschlafzimmer oben, in dem unablässig die vergoldeten Amorputten an dem großen vergoldeten Bett herumkletterten, waren solche Unmengen bunt zusammengewürfelter Kleidung verborgen, wie man es sich kaum ausdenken konnte. Zwischen den furchtbar teuren Kostümen hingen alte schäbige Kleider aus den finsteren Zeiten vor dem Anstieg des Francs. Und Mrs Marble trug offenbar neben der pastellfarbenen Seidenunterwäsche aus der Bond Street auch die weder hübschen noch praktischen Sachen aus einem Wolle-Baumwoll-Gemisch noch, die sie schon lange vor den anderen besessen hatte. Die Erklärung dafür war ganz einfach. Mrs Marble hatte noch nie zuvor in ihrem Leben irgendwelche Kleidungsstücke gehabt, die sie weggeben konnte; sie waren alle stets völlig abgetragen gewesen, ehe sie darauf verzichtete. Sie konnte es sich einfach nicht angewöhnen, ihre ältere Garderobe auszusortieren. Ja, es muss sogar stark bezweifelt werden, ob sie überhaupt jemals daran gedacht hatte, irgendwelche Sachen wegzugeben, die man den Maßgaben früherer Sparsamkeit entsprechend durchaus noch ein weiteres halbes Jahr tragen konnte. Und keins der Kleidungsstücke, ob getragen oder ungetragen, war pfleglich behandelt worden; ungebürstet und ohne Bügel hingen sie an Haken da.

Selbst ein einziges Trimester im Internat hatte Winnie ein besseres Vorgehen als dieses gelehrt, und so nahm sie zwei hektische Tage lang alle Kleidungsstücke ihrer Mutter zur Hand, sortierte und legte zusammen, warf einiges davon rücksichtslos in den Lumpenkorb und betrachtete anderes skeptisch. Es ging über ihre Fähigkeiten, sich ihre Mutter in orangefarbener Seide vorzustellen oder in dem zarten Grünton *Eau de nil*; ja, es war ihr beinahe unmöglich, sie sich überhaupt gut gekleidet vorzustellen, doch Winnie brachte es zuwege, dass ihre Mutter mehr wie die Mütter aussah, die sie gelegentlich im Internat gesehen hatte. Mrs Marble war vor Dankbarkeit fast den Tränen nahe.

»Ich finde irgendwie nie die Zeit dazu, das alles zu machen«, sagte sie. »Und ... und ... manchmal scheint es sich auch gar nicht zu lohnen. Dein Vater ist ein sehr vielbeschäftigter Mann, weißt du, Schatz.«

Die Amorputten, die an dem großen Empire-Bett herumkletterten, kletterten nun schon seit Monaten umsonst herum, das war es, was Mrs Marble meinte, obwohl sie nie auch nur im Traum daran gedacht hätte, dies ihrer Tochter gegenüber anzudeuten.

Und bei all dieser Eile, mit der Mrs Marbles Garderobe in

Ordnung gebracht werden musste, wurde auch Winnie selbst nicht vergessen. Sie brauchte für ihren Aufenthalt im Grand Pavilion Hotel ebenfalls ein paar neue Kleider, und Winnies Geschmack, bei dem ihr beinahe völlig freie Hand gelassen wurde, war bestenfalls etwas zu jugendlich zu nennen. Mrs Marble erschrak ein wenig, als sie manche der Sachen sah, die Winnie ausgesucht hatte, doch sie kam nicht einmal auf die Idee, dass sie protestieren könnte. Sie hatte nur ganz schwammige Vorstellungen davon, was die richtige Kleidung für ein fünfzehnjähriges Mädchen im Grand Pavilion Hotel wäre.

»So ein Pagenkopf hat doch wirklich Vorteile«, sagte Winnie zu ihrem eigenen Spiegelbild, dessen Aussehen sie sorgfältig musterte, während ihre Mutter weit weg war. »Niemand kann je genau sagen, wie alt man ist. Wenn ich keinen Pagenkopf hätte, dürfte ich mir die Haare noch nicht hochstecken, und dann wüsste es jeder. Aber so, mit meinen neuen Kleidern und all dem, werde ich in diesem Urlaub bestimmt eine schöne Zeit haben. Und ich werde den Mädchen einiges zu erzählen haben, wenn ich wieder ins Internat komme.«

Winnie und ihre Mutter waren ganz aufgeregt vor Freude, als das Taxi kam, um sie zum Bahnhof Victoria zu bringen. John war nicht bei ihnen. Er hatte beschlossen, allein auf dem Zweizylinder-Koloss zu fahren, trotz Winnies leichtem Protest, dass ein Motorrad äußerst vulgär sei.

Auch Mr Marble war aufgeregt vor Freude, als er ihnen zum Abschied hinterherwinkte. Aus ganz persönlichen Gründen war er froh, dass seine Tochter aus dem Wege war. Er hatte sich unwohl gefühlt in ihrer Gegenwart. Diese drei Monate, drei Monate mit gutem Essen und in nächster Nähe von Menschen, die nie die geringste Schwierigkeit mit ihrem Akzent gehabt hatten, hatten sie ihrer Familie erstaunlich rasch entfremdet. Nicht einmal, wenn er betrunken war, hatte Mr Marble sich mit seiner Tochter wohlgefühlt. Und in jedem Augenblick hatte er gefürchtet, sie könnte verlangen, dass die Familie in ein größeres und besseres Haus zieht oder, wenn das schon nicht, so doch, dass dieses Haus renoviert und möglichst genau so hergerichtet werden sollte, wie sie es in den Häusern der Mädchen gesehen hatte, die sie aus dem Internat kannte. Es waren nicht die Ausgaben, die Mr Marble fürchtete. Ihn versetzte es vielmehr in qualvolle Angstzustände, wenn er sich vorstellte, wie Handwerker in seinem Haus herumschnüffelten und Unmengen an Leitern und Brettern in seinem Garten aufgehäuft wurden. Der Fuß einer Leiter konnte so leicht etwas tiefer ins weiche Erdreich des kahlen Blumenbeets eindringen.

Wenn er nüchtern war, hatte Mr Marble zudem den Verdacht, dass seine Kinder weder dankbar noch beeindruckt waren von den Vorteilen, die er ihnen verschafft hatte. Er vermutete sogar, dass sie den Mosaiktisch nicht so sehr bewunderten, wie sie es hätten tun sollen. In aufkeimendem Selbstmitleid sagte er sich, dass ihm all seine Aufwendungen nicht angemessen vergolten wurden. Wenn er es den Umständen anlasten konnte, machte es ihm nicht so viel aus; doch es gab einige schmerzliche Momente, in denen der Whisky nicht so betäubend wirkte, wie er sollte, wenn er gezwungen war, sich einzugestehen, dass es sein Fehler war. Es gab Zeiten, da er sich selbst nicht, so wie sonst, als triumphierenden Verbrecher sehen konnte, der alle Schwierigkeiten überwand, alle Hindernisse nahm und noch die schlimmste Niederlage in einen Erfolg ummünzen konnte. Stattdessen kamen Momente, da er sich selbst so sah, wie er wirklich war, als die in die Enge getriebene Ratte, die mit dem Mut der Verzweiflung gegen das Schicksal ankämpfte, das sie früher oder später unausweichlich doch einholen würde. Wenn diese schwarzen Zeiten kamen, griff er rasch nach seinem Glas und trank es gierig leer. Gott sei Dank gab es immer Whisky im Tausch gegen sein Geld – und Marguerite Collins.

10

Madame Collins war eine äußerst erfolgreiche Intrigantin, jetzt, da sie Erfahrung gesammelt und eine Selbstsicherheit gewonnen hatte, die von der Erfahrung herrührte. Niemand in den Vorstädten, nicht einmal der die Runde machende Milchmann, hat solch eine Gelegenheit zum Klatsch wie die Schneiderin der Vorstadt. Nachdem das Kleidungsstück angepasst ist und man sich ganz selbstverständlich von dem simplen, aber doch ergiebigen Thema Kleidung wegbewegt, kommt das Gespräch mit jeder Kundin irgendwann an den Punkt, wo über Geschehnisse in der Gegend geredet werden muss. Manche sprechen einfach nur über die Läden vor Ort, und bei diesen musste Madame Collins vorsichtig sein, doch die meisten unterhielten sich nur allzu bereitwillig über die Nachbarn, vor allem mit einer einzelnen mitfühlenden Person, und noch dazu einer Frau. Und so hatte Madame Collins fast schon in dem Moment alles über Mr Marbles neu erworbenen Reichtum gehört, als er ihn erwarb. Eine Information, die sie sich gut gemerkt hatte; denn es war immer erstrebenswert, die Bekanntschaft reicher Männer zu machen, vor allem für eine Frau, die des Vorstadtlebens mit sehr wenig Geld äußerst überdrüssig war nach all den vielfältigen Erfahrungen, die sie als junges Mädchen in einem während des Kriegs von englischen Truppen besetzten Gebiet gemacht hatte.

Das historische Treffen mit Mr Marble an jenem Tag, als die Möbel ankamen, war nur zum Teil geplant gewesen. Madame Collins war aus vollkommen legitimen geschäftlichen Gründen die Malcolm Road entlanggegangen, als sie die Möbelpacker all das immens vergoldete Mobiliar hineintragen sah, und sie war beeindruckt gewesen. Das musste eine Menge Geld gekostet haben, auch wenn es von grässlichem Geschmack zeugte, und als sie dann Mr Marble selbst entdeckt hatte, mit Krawattennadel, Armbanduhr, Zigarettenetui, gut geschnittener Kleidung und allem, war sie augenblicklich überzeugt gewesen. Es musste sehr viel Wahres an dem sein, was sie über sein Geld gehört hatte. Und es war für sie das Leichteste überhaupt gewesen, ihm danach ihre Bekanntschaft aufzudrängen.

All das, was Madame Collins nach einer Woche über die Zustände im Hause Marble noch nicht wusste, war des Wissens kaum wert – abgesehen von dem, für sie, unwichtigen Detail eines gewissen Vorkommnisses, das sich zwanzig Monate zuvor im Esszimmer der Marbles zugetragen hatte. Nachbarn hatten bereits angedeutet, dass es zwischen Mr Marble und seiner Ehefrau nicht zum Besten stand, und das war auch schon alles, was Madame Collins wissen musste. Ein reicher Mann, von seiner Ehefrau entfremdet, und diese Ehefrau einfältig genug, dass man sie leicht hintergehen konnte, und in günstiger Nähe wohnend, das bedeutete all das Kolorit und all das Geld, das Madame Collins in ihrem tristen Leben vermisste – vor allem, da sie erkannte, dass er offensichtlich recht ungeübt war im Umgang mit Frauen und sein Geld noch nicht so lange hatte, dass er verdorben davon wäre.

Für Mrs Marble hatte Marguerite Collins jedoch nichts als Danaergeschenke im Gepäck. Sie hatte ihr eine Freundschaft angeboten, die die einsame Frau freudig annahm. Sie hatte sie in ihr kleines Haus in der nächsten Straße eingeladen, sie dort ihrem Ehemann vorgestellt und so bewiesen, dass sie eine höchst achtbare, verheiratete Frau war. Annie Marble schätzte jedoch gar nicht, was für ein Niemand Collins selbst war.

Denn Collins war eine träge und tragische Gestalt. Er war mit einem enormen Feingefühl für die Musik bei gleichzeitig vollständig fehlendem schöpferischem Talent geschlagen und hatte sich sein ganzes Leben lang, abgesehen von einer von Gewalt geprägten Phase in Frankreich im letzten Kriegsjahr, die in seiner Heirat mit Marguerite gipfelte, mit dem Stimmen von Klavieren seinen Lebensunterhalt verdient. Er war ein sehr guter Klavierstimmer und wurde von der Firma, bei der er angestellt war, sehr geschätzt. Darin aber lag die Tragödie. Denn der perfekte Klavierstimmer darf niemals Klavier spielen. Und tut er es doch, verliert er sogleich die Hälfte seines Wertes als Klavierstimmer. Sein Ohr büßt jene empfindliche Nuance höchster Genauigkeit ein, die ihn zu einem perfekten Klavierstimmer macht. Und so verbrachte der nach Musik dürstende, von Musik unaussprechlich bewegte Collins sein Leben in einer Klavierfabrik, wo er Klaviere stimmte und immer nur Klaviere stimmte. Kein Wunder, dass Marguerite Collins das Leben trist fand.

Collins nahm das Auftauchen der Marbles im Leben seiner Ehefrau mit demselben Mangel an Interesse hin, den er allem entgegenbrachte. Mit lustloser Höflichkeit unterhielt er sich mit Mr Marble bei den ein, zwei Gelegenheiten, bei denen Letzterer Annie dorthin begleitet hatte. Aber er kannte wahrscheinlich nicht einmal ihre Namen. Nach all diesen Jahren des Ehelebens hatte er aufgehört, sich für die Taten seiner Ehefrau zu interessieren. Die rothaarige, braunäugige, stürmisch leidenschaftliche und bauernschlaue Marguerite war keineswegs die ideale Ehefrau für ihn. Und das wussten sie mittlerweile beide.

Marguerite spielte recht geschickt mit ihrem neuen Fang –

nicht, dass viel Geschick nötig gewesen wäre, wenn man bedachte, dass es zu dieser Zeit ohnehin Mr Marbles größter Wunsch war ihr Gefangener zu sein, vorausgesetzt, niemand erfuhr davon. Es hatte Blicke ihrer glühenden braunen Augen gegeben, in die Mr Marble alle möglichen Bedeutungen hineinweben konnte. Es hatte merkwürdige Zufälle gegeben, da sie just in dem Moment zum Einkaufen unterwegs war, wenn er vom Bus, der ihn vom Bahnhof nach Hause brachte, die Straße entlangging. Es hatte, begierig von ihm erwartete, Gelegenheiten gegeben, sie nach Hause zu begleiten, nachdem sie am Abend in der Malcolm Road zu Besuch gewesen war. Dann war sie in der wohligen Dunkelheit so dicht neben ihm gegangen, dass er ihre Wärme hatte spüren können. Sie hatte schon vor Langem beschlossen, dass sie sich ihm hingeben würde, aber sie wollte sich wiederum auch nicht zu schnell hingeben. Denn sie wollte ebenso sehr Geld wie eine Intrige, Geld, das sie auf das Bankkonto einzahlen konnte, das allein auf ihren Namen lief und auf das ihr Ehemann keinen Zugriff hatte. Bäuerliche Habsucht lag ihr im Blut, die Habsucht, die nach handfestem Geld verlangte, nach sehr viel davon – genug jedenfalls, um sie in die Lage zu versetzen, ihren saft- und kraftlosen Ehemann zu verlassen und ein eigenes Leben in Rouen oder sogar Paris zu führen.

Aber sie verkalkulierte sich fast, was daran lag, dass sie nicht alle Fakten kannte. Es kam eine Zeit, als statt der angenehmen Mittagessen in der Stadt – wenn sie dorthin fahren musste, um ihre Materialien einzukaufen – ein kleines Abendessen vorgeschlagen wurde. Marguerite stand die ganze Szene bereits vor Augen. Es würde einen privaten Raum geben und einen diskreten Kellner, und sehr viel guten Wein – Burgunder wäre das Beste, dachte sie. Und wenn Mr Marble dann gut versorgt und umsorgt wäre, würde sie die Geschichte unerwarteter Geschäftsverluste und drückender Schulden erzählen. Mr Marble würde ihr vielleicht nicht glauben; das könnte er auch gerne tun. Aber er würde ihr trotzdem ein Darlehen anbieten, und wenn sie dieses sicher in ihrer Handtasche verstaut hätte, würde sie vor Dankbarkeit schwach werden. Sie würde überwältigt sein, sich zärtlich hingeben. Und danach würde sie nie mehr von diesem »Darlehen« hören. Doch die Farce würde trotz allem nötig sein. Sonst könnte Mr Marble noch auf unliebsame Ideen kommen – etwa die, dass er ihren Widerstand ganz allein mit seinem Charme überwunden hätte. Marguerite zog es vor, die Angelegenheit auf eine solide geschäftliche Grundlage zu stellen.

Anfangs verlief alles nach Plan. Marguerite kam nur zehn Minuten zu spät, gerade lang genug, um Mr Marble unruhig zu machen, aber doch nicht lang genug, dass er sich wirklich ärgerte. Und bei ihrem Anblick schwand all seine Unruhe. Sie kam in einem großartigen Abendkleid, das so tief ausgeschnitten und glanzvoll war, dass Mr Marble die Luft anhielt, als er sie ansah. Er selbst trug nur einen Straßenanzug, wie nicht anders möglich mit einer Ehefrau zu Hause, die nach einer Erklärung verlangen würde, wenn er etwas derart Außergewöhnliches täte, wie in Abendkleidung auszugehen.

Es war nicht schwierig gewesen, einen Raum für sie allein zu bekommen; der Kellner war sehr diskret, der Wein sehr gut und das Abendessen vorzüglich gewesen. Marguerite sah mit Freude, dass Mr Marble kaum etwas aß. Er schien wie in einem Fieber befangen.

Marble saß am Tisch da und schenkte der Frau ihm gegenüber keine Aufmerksamkeit. Kaffee und Likör standen zu seinem Genuss bereit. Der Kellner war auf Nimmerwiedersehen verschwunden, seit er die Rechnung bezahlt bekommen hatte. Marguerite wollte eben beginnen, ihre sorgfältig eingeübte Geschichte zu erzählen, als sie seinen Gesichtsausdruck bemerkte. Er sah, mit äußerst starrem Blick, an ihr vorbei die gegenüberliegende Wand an. Dort befand sich die Tür, die in das angrenzende kitschige Schlafzimmer führte, daran jedoch dachte er eindeutig nicht. Dieser starre Blick war ein gequälter Blick.

Marble fühlte sich fast schon seit dem Moment unwohl, da Madame Collins Eintreffen seine Gedanken freigesetzt und überall dorthin hatte wandern lassen, wohin sie wollten. Und plötzlich war ihm der schreckliche Verdacht gekommen, dass jemand sich, während er hier herumtändelte, an dem Blumenbeet in seinem Garten zu schaffen machen könnte. Es würde ausgleichende Gerechtigkeit sein, wenn dem so wäre – ein gefundenes Fressen für die Zeitungen. Er konnte sich deren unverblümte, hochmoralische Kommentare in den flammenden Artikeln schon vorstellen, die in den Zeitungen morgen erscheinen würden. Fälle dieser Art, wenn die Leiche lange verborgen blieb, waren fast genauso beliebt in den Zeitungen wie die Fälle, wenn die Leiche zersägt oder verbrannt wurde. Und er würde fortgeschleppt werden. Und dann ... seine Gedanken sprangen zu halb erinnerten Fragmenten eines vereinzelten Exemplars der ›Ballade vom Zuchthaus zu Reading‹, das in seinen Besitz gelangt war. Da war irgendetwas um »der schwarzen Richtbank furchtbaren Kerker«. Einen Augenblick lang verweilten seine Gedanken dort, und dann rasten sie weiter durch all die grausigen Verse über »die schweigsamen Männer, die ihn bewachen, ob Nacht, ob Tag« und über den eignen Sarg, auf den man traf auf dem Weg in die grauenhafte Holzbaracke. Und schließlich drängten sich quälend die Zeilen in sein Gedächtnis, wo von einem Tuch über dem Kopf und einer Schlinge um den Hals die Rede war. Marbles Atem ging keuchend durch seine trockenen, geöffneten Lippen. In seiner Vorstellung hatte er bereits ein Tuch über seinem Kopf. Er konnte es spüren, wie es ihn erstickte, blind machte, während die Amtspersonen sorgsam um ihn herumtapsten und alles bereitmachten. Marble hatte Mühe, auf seinem Stuhl sitzen zu bleiben.

Madame Collins' Stimme erreichte ihn, als käme sie aus weiter Ferne, und fragte ihn, ob er krank sei. Selbst da kam er nur teilweise wieder zu sich. Auf ihre ängstlichen Fragen hin lachte er nur. Annie Marble hatte ein Lachen wie dieses auch schon ein Mal in ihrem Leben zu hören bekommen. Es war ein unfroher, ein abstoßender Laut. Marguerite wich entsetzt zurück und bekreuzigte sich. Marbles Stuhl kratzte scheußlich über den Boden, als er sich vom Tisch hochhievte.

»Nach Hause«, sagte er nur und stützte sich zuerst am Tisch, dann an ihrer Schulter ab, »nach Hause, schnell.«

Sie gingen zusammen die Treppe hinunter, er mit schleppenden Schritten, doch um Eile bemüht, sie mit Entsetzen und Angst in den Augen. So schnell wie es mit einem Taxi möglich war, fuhren sie nach Hause. Mr Marbles Ängste waren natürlich unbegründet gewesen. Nicht eine Menschenseele hatte den Garten betreten. Doch er konnte Marguerite Collins die dumme Furcht, die er sich selbst zuzuschreiben hatte, nicht erklären. Noch konnte er sich selbst andererseits davon überzeugen, das seine Ängste unbegründet waren. Die Obsession wurde immer stärker. Mr Marbles Widerwille, seine Freizeit irgendwo zu verbringen, von wo er seinen Garten nicht im Auge behalten konnte, steigerte sich mehr und mehr. Und dennoch verlangte es ihn so sehr nach Marguerite Collins mit dem braunen Haar, das so warm schimmerte, wie es ihn nach wenig sonst verlangte. Aus diesem Grund war er so aufgeregt vor Freude, als er seine Familie auf ihrem Weg ins Grand Pavilion Hotel zum Bahnhof Victoria davonfahren sah.

Marguerite freute sich auch darüber. Sie war eine Frau von großer Vernunft und erholte sich rasch von der Angst, die sie empfunden hatte.

Für Marble begann der glücklichste Monat, den er seit James Medlands Besuch gehabt hatte. Keine lästige Familie mehr um ihn, um die er sich den Kopf zerbrechen musste. Er konnte sich so einigermaßen selbst ein warmes Frühstück zubereiten, und seine anderen Mahlzeiten nahm er außerhalb ein, es sei denn, er brachte sich bei Gelegenheit mal ein warmes Essen mit und verspeiste es zu Hause. Die Abende war anfangs sehr lang und angenehm. Er konnte mit einem Buch über Verbrechen auf dem Schoß im Wohnzimmer sitzen und vor sich hingrübeln, so viel trinken, wie er wollte, ohne dass der besorgte Blick seiner Ehefrau ihn verärgerte, und auch wenn seine Gedanken manchmal zu Verhaftung und Scheitern schweiften, gelang es ihm zu dieser Zeit aufgrund des neuen Interesses, das er hatte, sie abzustreifen. Denn manchmal war bei Einbruch der Dunkelheit ein rasches leises Klopfen an der Tür zu hören, und er ging sie öffnen und Marguerite Collins stand davor. Sie trat ein, prachtvoll, wunderbar, reif bis zur Überreife, und dann vergaß Marble seine Sorgen eine Zeit lang vollends. Er schätzte den von ihr bevorzugten Wein nicht, sorgte aber dafür, dass immer Wein für sie da war. Er selbst war mit Whisky zufrieden, und die Zeit verflog regelrecht. Am Ende des Abends wechselte ein kleines Geldbündel den Besitzer – man konnte bei Marble darauf vertrauen, dass er unter diesen Umständen so wenig wie möglich auf Schecks zurückgriff –, und dann schlüpfte Marguerite so leise wie sie gekommen war wieder zur Tür hinaus.

Es waren merkwürdige Abende, halb Traum, halb Albtraum. In seiner sonderbaren Vorstellungswelt fand Marble dieses Teilen des Hauses und des Blicks in den Garten seltsam tröstlich, wenn Marguerite bei ihm war. Er konnte sich in dem Nest ihrer warmen, weißen Arme vollständiger selbst vergessen, als es ihm je zuvor möglich gewesen war. Ihre dunklen Augen waren von samtener Leidenschaft und ihre leisen, nur halb vorgetäuschten Seufzer der Liebe führten ihn tief hinein in all die verworrenen, verschwommenen Seitenwege trunkener Sinnlichkeit. Von Marguerite zumindest bekam er etwas für sein Geld.

Selbst das Erwachen am nächsten Morgen mit trüben Augen und schlechtem Geschmack im Mund war nicht so schlimm, wie man hätte meinen können. Denn dankenswerterweise war er wenigstens allein, und Mr Marble war für das Alleinsein sehr dankbar, wenn nicht gerade Marguerite bei ihm war. Es gab keine Ehefrau mit einem besorgten Blick in den Augen, der ihn beunruhigte; er konnte durchs Haus streifen und sich zum tausendsten Mal versichern, dass der Garten nicht angerührt worden war; er konnte sich gemächlich anziehen und das Haus ohne all den Wirbel ums Verabschieden verlassen. Er war natürlich meistens eine halbe Stunde zu spät dran, aber was machte das schon. Er wusste, dass seine Entlassung bevorstand und unausweichlich war, doch es war ihm egal. Jeden Tag konnte er in den Augen des Juniorpartners, der ihm so zurückhaltend fünfhundert im Jahr angeboten hatte, eine wachsende Verärgerung über seine Trunkenheit und Unpünktlichkeit sehen. Er hatte natürlich auch nichts getan, um das Gehalt zu verdienen, das er bekam. Er hatte der Firma zu keinem großen *coup* wie jenem verholfen, den er für sich selbst zustande gebracht hatte. Und es war – das wusste er schon die ganze Zeit – jetzt, da ihm der unmittelbare Ansporn der Notwendigkeit fehlte, auch höchst unwahrscheinlich, dass es je dazu käme. Aber sollte die neue Firma ihn doch entlassen, wenn es ihnen gefiel. Er hatte seine zwölfhundert im Jahr und wollte nicht mehr mit Geschäftlichem belästigt werden. Und so ging er ins Büro, rotäugig, unrasiert und mit zittrigen Händen. Sein dünnes rötliches Haar wurde rasch grau.

Die übrige Familie Marble war unterdessen bestrebt, sich zu vergnügen. Was einigen ihrer Mitglieder durchaus gelang, in unterschiedlichem Maße. Und das Trio war auch selbst zum Gegenstand des Amüsements der Müßiggänger in der von Palmen beschatteten Hotellobby geworden. Mrs Marble war einfach zu schlecht gekleidet trotz Winnies törichter Bemühungen und hatte zu offensichtlich Angst vor den Portiers und den Kellnern; und auch Winnie selbst hatte in manch einer Brust Interesse erregt. Sie war jung, das sahen alle, aber kein Einziger von ihnen hätte erraten, wie jung sie tatsächlich war. Ihre Kleidung forderte Kommentare geradezu heraus, und ihr Benehmen ebenso. Ihr Gesicht war zu stark gepudert, und sie machte es sich zur Angewohnheit, die Männer in der Lobby aus dem Augenwinkel heraus anzusehen, wenn sie an ihnen vorüberging. Diese Mischung aus Jugend und Unschuld und dennoch scheinbarer Bereitwilligkeit weckte seltsame Sehnsüchte in den Herzen einiger älterer Männer, die sie sahen.

Die Gerissenen wandten sich zuerst an die Mutter. Wie zufällig ergaben sich aus dem Nichts heraus in der Lobby Gespräche, und Mrs Marble war angenehm überrascht, dass Männer mit grauem Haar und den allerbesten Umgangsformen sie mit einer Achtung behandelten, die einer Herzogin angemessen gewesen wäre. Sie wurde ganz rot und nervös, doch sie genoss die Gesellschaft dieser vornehmen Herren sehr. Ein oder zwei von ihnen machten ihr sogar die Freude, zusammen mit ihr und ihrer Tochter an ihrem Tisch zu Abend zu essen, und manchmal begleitete einer sie auf einem der Ausflüge an Orte in der näheren Umgebung. Winnie hatte großen Spaß.

Auch einige junge Männer suchten die Bekanntschaft dieser sonderbaren Leute. Einer von ihnen ließ wieder ab davon, als er bemerkte, dass Mrs Marble kaum Schmuck besaß und sich im Grunde auch nichts aus Schmuck machte, doch die anderen blieben. Sie tanzten an den Abenden mit Winnie oder führten sie »nur zum Jux« ins Kino aus. Und sie waren fast verärgert, als sich herausstellte, dass Mrs Marble wie selbstverständlich davon ausging, dass sie sie begleiten würde; doch außer diesem einen Gedanken hegte sie keinerlei weitere. Sie konnte sich keine Situation vorstellen, in der jemand mit ihrer Tochter lieber allein gewesen wäre, statt auch sie dabeizuhaben. Doch die Männer entdeckten bald, jung und alt gleichermaßen, dass es eine sichere Methode gab, sich Winnies Gesellschaft ganz ungetrübt zu erfreuen; dazu musste man nur Mrs Marble in einem bequemen Liegestuhl auf der Pier unterbringen, wo sie sich die Kurkapelle anhören konnte, und dann mit Winnie einen Spaziergang machen. Mrs Marble war sehr angetan davon, wie aufmerksam die Männer ihr gegenüber alle waren und welche Mühen sie auf sich nahmen, um es ihr bequem zu machen und all ihren Wünschen zu entsprechen. Das war eine wirklich angenehme Abwechslung zu ihren gut siebzehn Ehejahren mit William Marble. Und es war auch erstaunlich, wie oft Winnie auf Mrs Marbles Frage: »Was möchtest du denn heute Vormittag machen?« (oder heute Nachmittag) bereitwillig zur Antwort gab: »Oh, lass uns doch auf die Pier gehen und die Kurkapelle anhören, Mutter.«

Doch inmitten all dieses Vergnügens vergnügte John sich nicht. Im Grand Pavilion Hotel gab es keinen Platz, wo er sich gemütlich hinsetzen und lesen konnte, und der Strand und die Promenade waren auch zu überlaufen, um so etwas zu ermöglichen. Ihm blieb natürlich immer sein Zweizylinder-Koloss, aber er wollte nicht immer nur Ausfahrten machen. Sogar auf der besten Maschine der besten Motorradmarke der Welt verliert das Motorradfahren nach drei Wochen unentwegten Herumfahrens ein wenig an Reiz, und es kam der Zeitpunkt, da John sich offen gestanden langweilte. Ihn langweilten die Hotelmahlzeiten, die Hotelfreunde und die Hotelräumlichkeiten. Musik während der Mahlzeiten verlor jegliche Anziehungskraft für ihn. Die Männer, die sich um Winnies Gesellschaft bemühten, sahen in ihm einfach nur eine Last und strengten sich noch nicht einmal allzu sehr an, das zu verheimlichen. Und Winnie war derselben Ansicht und versuchte erst gar nicht, diese zu verheimlichen. Ja, nicht einmal über Motorräder konnte er sich mit jemandem unterhalten, weil er nie jemanden traf, der jemals so ein Gefährt besessen hatte.

John langweilte sich unerträglich und über alle Maßen. Nach zwei Wochen Hotelaufenthalt deutete er dies seiner Mutter gegenüber an, doch Andeutungen waren nicht sehr wirksam im Fall seiner Mutter. Drei Tage später versuchte er es erneut, mit demselben Misserfolg. Nachdem er drei ganze Wochen durchgestanden hatte, wurde er schließlich aufsässig und tat seine Absicht kund, zurück nach Hause fahren zu wollen.

»Aber warum denn, mein Schatz?«, fragte Mrs Marble.

John tat sein Bestes, um es zu erklären, aber er hatte von Anfang an das Gefühl, dass es sinnlos war. Und seine Intuition gab ihm recht, denn Mrs Marble brachte überhaupt kein Verständnis für Langweile auf, da sie selbst sich nie langweilte.

»Es wird deinem Vater bestimmt nicht gefallen, wenn du nach Hause fährst«, sagte Mrs Marble. »Er hat furchtbar viel

Geld ausgegeben, damit du diesen Urlaub machen kannst, und du solltest dich dankbar zeigen.«

»Aber hier kann ich überhaupt nichts *tun*«, protestierte John.

»Hier gibt es doch so vieles, was man tun kann, Schatz. Du kannst dir die Kurkapelle anhören, oder du kannst mit dem Motorrad herumfahren, oder ... oder ... oh, es gibt doch so vieles, was man tun kann. Ein großer, unternehmungslustiger Junge wie du sollte da leicht etwas finden.«

»Ein großer, unternehmungslustiger Junge kann sich nicht den ganzen Tag und den ganzen Abend lang eine Kurkapelle anhören«, sagte John, »selbst wenn ich noch ein kleiner Junge wäre und selbst wenn ich mir *gern* Kurkapellen anhören würde, was ich nicht tue, überhaupt nicht. Zum Henker, ich kann hier nicht mal vernünftige Bücher zum Lesen finden, und wenn, dann weiß ich nicht, wo ich sie lesen soll.«

»Streite dich nicht mit ihm, Mutter«, warf Winnie ein. »Er mäkelt bloß an allem herum.«

»Herummäkeln« war in Mrs Marbles Augen eine Art Laster, zu dem das männliche Geschlecht in ungünstigen Situationen merkwürdigerweise neigte. Sie litt darunter, wann immer Mr Marbles Gemütsverfassung wieder einmal nicht die war, die sie hätte sein sollen. Winnie nutzte den Vorteil, den ihr dieser geschickte strategische Vorstoß verschaffte.

»Ich verstehe nicht, warum er nicht nach Hause fahren sollte, wenn du mich fragst«, sagte sie. »Dann wäre Vater nicht allein, und letzten Endes ist es ja bloß für eine Woche.«

Ihre Argumente waren nicht sonderlich glücklich, denn Mrs Marble erinnerte sich mit einem leichten Schaudern daran, wie sie sich zwischen ihren Sohn und ihren Ehemann werfen musste. Und sie würde, wann immer sie Gelegenheit dazu fände, regelrecht unglücklich sein bei dem Gedanken an zwei hilflose Männer allein in einem Haus, das in Ordnung zu halten sie so viel Mühe kostete. Aber Winnie hatte ihre eigenen Gründe, um John weit weg zu wünschen, Gründe, die nicht unwesentlich mit gewissen Spaziergängen auf der Pier und mit Kinobesuchen in der Stadt zu tun hatten.

»Ich würde ihn fahren lassen«, sagte Winnie. »Dann kann er sich immerhin ein paar der vermoderten alten Bücher holen, die er lesen will. Er wird es nämlich schon bald satthaben, zu Hause zu sein, und dann kann er wieder hierherkommen. Es wird sicher nur ein oder zwei Tage dauern. Länger hält er es bestimmt nicht aus, sich sein warmes Frühstück selbst machen zu müssen. Und dann kann er dir erzählen, wie Vater zurechtkommt.«

Es war ein listiger Schachzug. Denn in den Augenblicken, in denen Mrs Marble einmal weder eingeschüchtert war von den Kellnern und Zimmermädchen noch überglücklich über den Luxus, den sie repräsentierten, hatte sie ein schlechtes Gewissen wegen ihres verlassenen Ehemannes. Sie hörte sehr wenig von ihm – nur ein, zwei hingeschmierte Kritzeleien hatten sie erreicht, die ihr nichts sagten. Alles darüber hinaus war Mr Marble zu viel der Mühe gewesen. Winnies Vorschlag kam daher genau zur rechten Zeit.

»Nun, dann tu's halt, Schatz«, sagte Mrs Marble. »Fahr für eine Nacht nach Hause und hole dir all die Bücher und Sachen, die du haben möchtest. Und falls es Vater nichts ausmacht, kannst du natürlich auch länger bleiben, wenn du möchtest. Aber du darfst auf keinen Fall etwas tun, das ihn verärgern könnte.«

Das war kaum das großzügige *adieu,* das Winnie gern von ihr gehört hätte, doch es war immerhin etwas.

Als John erklärte, sofort aufbrechen zu wollen, war Mrs Marble so schockiert, dass sie protestierte. Für sie hatte es etwas Undenkbares, nach nur zehnminütiger Vorankündigung den Aufenthaltsort zu wechseln. Und es gelang ihr, ihren Sohn zu überreden, seine Abfahrt bis zum nächsten Tag – dem Samstag – aufzuschieben.

Und selbst dann war sie noch voller Anweisungen im letzten Augenblick.

»Du weißt doch, wo die sauberen Laken sind, nicht wahr, Schatz?«, sagte sie. »In der untersten Schublade der großen Kommode. Und denk daran, sie zu lüften, bevor du das Bett damit beziehst. Oh, und würdest du mir meinen weißen Pelz mitbringen, wenn du wieder herkommst? Es wird mittlerweile ziemlich kühl an den Abenden. Und bist du dir auch sicher, dass du den Weg nach Hause findest? Es ist eine ziemlich lange Fahrt, um sie ganz allein zu machen.«

John hatte oft schon dreimal so lange Fahrten an einem einzigen Tag gemacht, doch er hütete sich, das zu erzählen. Er hielt es für klüger, seine Mutter reden zu lassen, damit sie alles loswürde, und dann einfach ohne weiteren Streit aufzubrechen.

Und sie fuhr unbedacht fort: »Ich werde sehr ungeduldig darauf warten zu hören, dass du wohlbehalten zu Hause angekommen bist. Denk daran zu schreiben, sobald du dort bist, und sag mir unbedingt, wie es Vater geht. Und ... und ... vergiss nicht, was ich darüber gesagt habe, dass du auf keinen Fall etwas tun sollst, das Vater verärgern könnte.«

Das ließ John unbehaglich in seinem Sessel herumrutschen.

Und zu guter Letzt fügte Mrs Marble noch dies hinzu: »Auf Wiedersehen also, Schatz. Viel Vergnügen. Hast du denn auch genug Geld? Dann auf Wiedersehen. Und vergiss nicht, was ich gesagt habe. Wir gehen noch auf die Pier mit Mr Horne. Auf Wiedersehen, Schatz.«

Und damit waren Winnie und Mrs Marble und Mr Horne gegangen.

Es wurde ein ausgesprochen schöner Tag für John. Ausnahmsweise einmal war er weder der Hotelgefangene, noch befand er sich schon bei seinem Vater zu Hause. Es war eine Übergangsphase. Er genoss die Zeit in vollen Zügen. Er ging schwimmen, am anderen Ende der Stadt – sein letztes Bad im Meer, bevor er die Heimfahrt antrat. Das dauerte eine Zeit lang, denn er wollte es so richtig auskosten. Schließlich aber ging er ins Grand Pavilion Hotel zurück und holte den Zweizylinder-Koloss aus der Garage, wo dieser ungeduldig und ungnädig neben all den zahmen Automobilen und Limousinen dastand. Der Kickstarter ließ sich gehorsam durchtreten, und der Motor brach in sein lieblich ratterndes Dröhnen aus. John schwang sich auf den Sattel, und als er die Kupplung zog, sprang der Zweizylinder-Koloss ungeduldig voran. Sie erklommen die steile Steigung der Seitenstraße mühelos, manövrierten sich durch das Elend der Armenviertel in den Außenbezirken der Stadt und nach einer Viertelstunde waren sie draußen in der weiten, offenen Hügellandschaft. Doch John war fest entschlossen, nicht eine einzige Minute dieses glücklichen Tages zu verschwenden. Er drosselte den Eifer des Zweizylinder-Kolosses auf lediglich vierzehn Meilen die Stunde – eine Geschwindigkeit wie die der Rosinante, die ganz seiner schwärmerischen Don-Quijote-Laune entsprach, wie er sich selbst sagte. Bester Stimmung zuckelten sie die großartige Landstraße entlang. Der Wind blies ihm sanft entgegen, und freudig seufzend sog er ihn ein. Es war zwölf gewesen, als er aufbrach; und um ein Uhr hatte er noch keine dreißig Meilen – nicht einmal die Hälfte des Wegs – zurückgelegt. In einem großen, doch gemütlichen Hotel an der Straße aß John für sich allein zu Mittag. Eine entschiedene Abwechslung zum Mittagessen im Grand Pavilion Hotel, wo in drei Meter Entfernung eine Hotelkapelle lärmte, Mutter Plattitüden von sich gab – sie konnte nicht anders, die Ärmste, aber nach ein, zwei Wochen wurde es einfach ermüdend – und Winnie sich diskret nach den Männern umdrehte oder, schlimmer noch, unentwegt mit irgendeinem pomadenhaarigen Kerl plauderte, den einzuladen sie Mutter gedrängt hatte. Irgendwie waren sie alle pomadenhaarig, und keiner von ihnen wusste, wie man mit einem Burschen sprach, nicht einmal die jungen unter ihnen. Und die alten erst! Ein tattriger alter Idiot hatte ihn doch tatsächlich gefragt, ob er weiße Mäuse halte! John streckte behaglich die Beine unter den Tisch und zündete sich eine Zigarette an. Gott sei Dank, dass das endlich vorbei war. In diesem Hotel hätte er es keinen Tag länger ausgehalten. Er hoffte nur, dass er sich mit seinem Vater vertragen würde. Vater war mittlerweile ein so unwägbarer Mann geworden. Er wollte aber offenbar vor allem allein gelassen werden, und genau das wollte er selbst auch. Von daher sollten sie also gut miteinander auskommen. Und wenn nicht – nun, so schlimm wie im Hotel konnte es keinesfalls werden, wo Mutter so ein Gedöns um ihn gemacht und Winnie die ganze Zeit gestichelt hatte. John hatte sowohl etwas Flegelhaftes als auch etwas Dickfelliges an sich.

Doch er war unbeschwert genug, als er wieder herauskam und den Zweizylinder-Koloss für die letzte Wegstrecke nach Hause erneut anließ. Er fuhr immer noch langsam, teils freiwillig, teils wegen des zunehmenden Samstagsverkehrs, auf den er traf. Bei Croydon bog er ab, und der Zweizylinder-Koloss brachte ihn erfolgreich und ohne große Anstrengung die lang gestreckte Anhöhe zum Kristallpalast hinauf. Und zehn Minuten später schon rollte das Motorrad im Leerlauf lautlos das Gefälle der Malcolm Road hinunter und hielt gemächlich draußen vor Nummer 53 an. John stieg langsam ab. Es war ein herrlicher Tag gewesen. Selbst jetzt war es noch nicht Abend. Es gab doch nichts Besseres als einen Spätnachmittag im August am Ende eines flammenden Tages. Die recht schäbige kleine Straße wirkte nachgerade himmlisch auf den Exilanten nach seinen drei Wochen im Grand Pavilion Hotel. Am Himmel zeichnete sich ein Hauch von Rot ab, dort, wo die Sonne zu sinken begann. Ein halbes Lächeln umspielte Johns Mund, als er sich umsah und dabei in der Hosentasche nach seinem Haustürschlüssel suchte. Ja, er lächelte sogar, als er den Schlüssel ins Loch steckte und schließlich das Haus betrat.

Mr Marble hatte sich in letzter Zeit stets auf seine Samstagnachmittage gefreut. Nach einem faulen Vormittag im Büro und einem gemütlichen Mittagessen in der Stadt konnte er nach der Hauptverkehrszeit geruhsam nach Hause fahren. Und zu Hause – denn in diesem Fall lohnte es sich, der Wachsamkeit der Nachbarn einmal kühn zu trotzen, zumal wenn man bedachte, dass ihr übliches Eintreffen vor seiner Rückkehr diese sicher zu der Annahme verleiten würde, sie bringe aus nachbarschaftlicher Hilfe ein paar Einkäufe vorbei oder schaue im Haus nach dem Rechten – würde Madame Collins auf ihn warten, Marguerite – Rita, wie er sie inzwischen nannte. Und dann hätten sie den ganzen Nachmittag und Abend vor sich. Vor Einbruch der Dunkelheit würde sie nicht gehen. Und es würde ein wundervoller Tag werden. Iss, trink und sei vergnügt, denn schon morgen kannst du tot sein. Mr Marble aß, und am entschlossensten trank er, und er war auch vergnügt, wenn solch ein Begriff denn angebracht ist für seine albtraumartige, hemmungslose Hingabe. Und diese Hingabe war nur möglich, weil er sich in der Malcolm Road 53 befand und so dafür sorgen konnte, dass noch eine ganze Weile lang keine Gefahr eines plötzlichen Todes für ihn bestand.

John trat ins Esszimmer. Es war niemand dort. Aber der Anblick des Zimmers ließ ihn zum ersten Mal erschaudern. Die vergoldeten Möbel glänzten kitschig im schwächer werdenden Sonnenlicht; es herrschte ein unbeschreibliches Durcheinander in dem Zimmer: Überall standen schmutziges Geschirr und leere Flaschen herum, der Fußboden war übersät mit Zigarettenasche und Zigarettenstummeln. Und es lag eine Mischung unterschwelliger, aber widerlicher Gerüche in dem Zimmer. Noch über dem kalten Tabakrauch und der Muffigkeit ungelüfteter Räume lag der Gestank verschütteten Alkohols, und durchdrungen war das Ganze von noch einem weiteren nur leichten, aber doch penetranten Odeur – ein abgestandener, unangenehmer Geruch wie von verblühenden Hyazinthen. John verzog angewidert das Gesicht, als der abscheuliche Gestank ihm in die Nase stieg. Den Alkohol und den Tabak und die Muffigkeit und das Durcheinander konnte er noch verstehen, und darauf war er, wenn auch in geringerem Ausmaß, gefasst gewesen. Aber dieser andere Geruch, der das Riechorgan des unschuldig reinen Jungen so sehr irritierte, war anders. Er war sogar noch unreiner als die anderen.

Rasch verließ er das Zimmer wieder. Er war schon halb davon überzeugt, dass sein Vater nicht zu Hause war, und setzte einen Fuß auf die Treppe, um in sein eigenes Zimmer zu gehen und die Fenster zu öffnen, weit zu öffnen, damit die reine Abendluft wenigstens dort hereinströmen würde. Doch er unterließ es, weil ihm plötzlich ein Gedanke kam. Sein Vater war höchstwahrscheinlich im hinteren Zimmer – es war mittlerweile schon lange seine Angewohnheit, sich meist dorthin zu setzen. Und wenn er dort war, und wenn er, was das Allerwahrscheinlichste war, wie John sich selbst zögernd eingestand, dort trank, wäre es das Beste für ihn, hineinzugehen und so bald wie möglich Bescheid zu sagen, dass er da war.

Sein Vater würde sehr wütend werden, wenn er sich ohne dessen Wissen im Haus aufhielte. Und so kehrte John um und ging zum Wohnzimmer, drehte den Türknauf und trat ein.

Aber weiter als bis eben über die Schwelle kam er nicht. Dort blieb er stehen, zwei entsetzliche, höllische Sekunden lang, während der Hyazinthengestank, der sich nun erklärte, ihm in größeren Schwaden entgegenschwappte und der Anblick, der sich seinen Augen bot, ihn so benommen machte, wie der Schlag eines Knüppels es getan hätte. Es war ekelerregend, bestialisch, widerwärtig. Taumelnd lief er davon, fingerte in benommener Hast am Knauf der Haustür. Und in den Aufruhr seiner schrecklichen Erinnerung mischte sich, gerade als er wieder im Freien war, auch noch der Anblick seines Vaters, der hinter ihm hertorkelnd irgendwelche unbeherrschten Worte ausstieß, die er zwar nicht verstand, die offenbar aber besagten, dass er nicht gehen, sondern bleiben solle, damit er es erklären könne. Doch John floh.

Es blieb ihm auch gar nichts anderes übrig. Jede Faser seines Körpers schrie nach Luft, Luft, Luft. Luft, um diesen widerlichen Hyazinthengestank hinwegzuschwemmen; Luft, um seine Gedanken zu überfluten und die Erinnerung an diese bestialische, trunkene Nacktheit auszulöschen; Luft, Luft, Luft!

Am Rande des Gehwegs stand sein einziger treuer Freund, der Zweizylinder-Koloss, der ihn nie betrügen würde. Eine Sekunde lang stützte er sich an dem freundlichen Sattel ab, während sein schwirrender Geist sich in dem ihm möglichen geringfügigen Maße beruhigte. Luft, Luft, Luft! Dann sprang er auf den Sattel, mit den Händen automatisch Zündung und Gasgriff greifend. Der Motor war noch heiß und brach in sein freundliches altes Dröhnen aus, als er den Kickstarter durchtrat. Und in der nächsten Sekunde war er weg, steuerte ungestüm die Straße entlang und ließ den Motor jubilierend aufheulen, indem er das Gas weiter aufdrehte.

Der Sonnenuntergang tauchte den ganzen Himmel in Blutrot und Goldbraun, während die Sonne langsam hinter den Häusern verschwand, aber es war immer noch erstickend heiß. Die Luft, die über Johns Wangen dahinfuhr, hätte ebenso gut aus einem Hochofen kommen können. Sie fuhr über seine Wangen, zerrte an seinem Haar, füllte seine Lungen bis zum Bersten und verschaffte ihm dennoch keine Erleichterung. Weiter und weiter drehte er das Gas auf, und mittlerweile raste der Zweizylinder-Koloss die Straßen schon entlang wie eine Rennstrecke. John wusste nicht, wohin er fuhr, und es interessierte ihn auch nicht. Luft war das, was er wollte, Luft, mehr Luft. Er setzte sich extra aufrecht in den Sattel, und der so mutwillig erzeugte Tornado zerrte mit unzähligen Fingern an ihm. Und trotzdem schauderte es ihn noch bei der Erinnerung an den Hyazinthengestank. Der Gasgriff war inzwischen weit aufgedreht, und er wirbelte inmitten von aufspritzendem Splitt haarscharf um die Kurven herum. Luft, mehr Luft! Johns Hand bewegte sich weiter bis auf eine verbotene Stufe, und jetzt raste der Zweizylinder-Koloss sogar noch schneller voran, als die Abgase aus dem dröhnenden Auspuffrohr strömten.

Das konnte nicht ewig so gehen. Nicht einmal der stets treue Zweizylinder-Koloss konnte sich bei einer solchen Geschwindigkeit auf diesen glatten Straßen halten. Eine letzte Kurve noch, dann verloren die Reifen auf dem kaum Widerstand bietenden Asphalt ihren Halt. Der Zweizylinder-Koloss schlingerte wild, schlingerte quer über die Straße, quer über den Gehweg. Auf eine grausame Ziegelwand zu, die sie schon erwartete, zu dem einen alles zerreißenden Ende.

11

Es herrschte Kummer, unverhohlener und zügelloser Kummer in der Malcolm Road 53. Jetzt wohnten nur noch zwei Leute dort. Winnie war wieder ins Internat zurückgekehrt, froh, dem hilflosen Unglück ihrer Mutter und dem düsteren Grübeln ihres Vaters entfliehen zu können. Aber Mr Marble und Mrs Marble waren die ganze Zeit dort. Der Schlag von Mr Marbles Entlassung aus der neuen Firma hatte sie beinahe zur selben Zeit getroffen. Aber es war ihm egal. Er brauchte das Geld nicht, und es war eine so furchtbare Last, jeden Tag ins Büro gehen zu müssen. Unglück oder kein Unglück, er blieb ohnehin lieber zu Hause, wo er, von seinen Lieblingsbüchern über Verbrechen und medizinische Jurisprudenz umgeben, den Garten im Auge behalten konnte, anstatt den ganzen Tag im Büro zu vertrödeln und sich darüber Sorgen zu machen, was zu Hause vor sich ging. Und das düstere Leben des einsam zu Hause Sitzenden begann eine grauenhafte Faszination auf ihn auszuüben. Es erforderte keinerlei Anstrengung, verlangte weder nach originellen Gedanken noch nach Talent, und das Fehlen aller Anstrengung erwies sich als vorteilhaft für einen Mann, der regelmäßig mehr trank, als er sollte, und dessen Gedanken unablässig dunkle Wege entlangwanderten, die, obzwar schon oft gekreuzt, doch immer wieder neu waren. Seine Ehefrau war inzwischen ein Niemand für ihn, ein noch weniger reales Phantom als der schielende Henker, der ihm so häufig auf die Schulter tippte; sie war ein Geist, der auf leisen Sohlen durchs Haus wanderte, sich der auf sie wartenden Arbeit nur halbherzig widmete und für gewöhnlich weinte, aber so leise, dass es ihn nicht störte. Manchmal weinte Mrs Marble im Andenken an ihren toten Sohn; manchmal weinte sie, weil ihr Rücken sie schmerzte. Aber sie weinte auch bei anderen Gelegenheiten, und da wusste sie nicht einmal, warum sie es tat; sie weinte im Grunde, weil ihr Ehemann aufgehört hatte, sie zu lieben. Sehr grau, sehr zerbrechlich und sehr, sehr unglücklich war Mrs Marble zu dieser Zeit.

Es war ein seltsames, verrücktes Leben, das die beiden mittlerweile führten. Geld war im Überfluss vorhanden und doch wurde nur sehr wenig Gebrauch davon gemacht. Die Wände des Wohnzimmers waren inzwischen vollkommen von Mr Marbles Ansammlung von Büchern über Verbrechen bedeckt; die anderen Zimmer waren alle vollgestellt mit massigen und unglaublich teuren Möbel, deren aufwendige Schnitzereien eine Quelle des Jammers für Mrs Marble waren, wenn sie daranging, Staub zu wischen. Die Händler hatten aufgehört, sie aufzusuchen, fast alle von ihnen, und all ihre Einkäufe erledigte Mrs Marble mit eiligen kleinen Ausflügen in die bettelarmen Läden ringsum. Es war Geld für Dienstmädchen da, Geld für teures und köstliches Essen, Geld für bequeme und leicht zu pflegende Möbel. Aber kein Dienstmädchen hatte jemals die Malcolm Road 53 betreten; die aufwendigen Möbel waren Mrs Marbles unerträglichste Last, und beim Essen verlegten sie sich mehr und mehr auf fertig Gekochtes, da sich durch jede gekaufte Mahlzeit die nachlässige Vorratshaltung der leeren Speisekammer nur noch vergrößerte. Mrs Marble hatte schon vor längerer Zeit damit begonnen, ihre Haushaltspflichten zu vernachlässigen. Aber eine Unfähigkeit, dieser Aufgabe überhaupt noch nachzukommen, zeigte sie erst seit Johns Tod.

Genau genommen war Mrs Marble ein Gedanke gekommen, und jetzt dachte sie darüber nach. Und wenn Mrs Marble allein durch die Kraft ihrer Intelligenz etwas durchdringen wollte, war sie gezwungen, all ihre anderen Arbeiten liegen zu lassen und ihre ganze Zeit dieser Aufgabe zu widmen. Ihr Geist arbeitete langsam, aber, so wie es stets der Fall ist, wenn Menschen solcher Mentalität sich einmal entschlossen haben eine Aufgabe zu bewältigen, sehr, sehr gewissenhaft. Doch noch nicht einmal jetzt hätte sie ihre Vermutungen in Worten ausdrücken können, so unbestimmt waren sie. Aber sie hatten nichts mit Madame Collins zu tun, so seltsam es auch klingen mag.

Seltsamer noch war allerdings, dass diese Letztere, so geschickt sie auch sein mochte, der Grund dafür war, dass die zu dieser Zeit vorherrschende instabile Situation zusammenbrach. All die Geldbeträge, die Mr Marble ihr gab, hatten ihr nur Appetit auf noch mehr gemacht. Sie hatten für eine wunderbare Veränderung ihres Kontostandes gesorgt, an dem sie sich insgeheim weidete. Doch dieser Kontostand war noch nicht annähernd hoch genug für ihre Pläne, auch wenn er zudem noch durch die Beträge angestiegen war, die sie von dem Geld abgezweigt hatte, das ihr Ehemann ihr für den Haushalt gab. Madame Collins nahm es sehr übel auf, dass Mrs Marble ihrer Anhäufung von noch mehr Geld nun wieder im Wege stehen sollte.

Denn das tat Mrs Marble. Nie mehr verließ Mr Marble sein Haus einfach so; nie mehr konnte er dazu überredet werden, von seinem angespannten Augenmerk auf dieses kahle, zehn Quadratmeter große Stück Erde hinter der Malcolm Road 53 doch einmal abzulassen. Denn seine Obsession war auf ganz natürliche Weise immer stärker geworden, je mehr Raum er ihr gab. Zu der Zeit, als es ganz selbstverständlich für ihn gewesen war, jeden Tag in die Stadt hineinzufahren, war es ebenso selbstverständlich gewesen, dass sein Garten sich selbst überlassen blieb; doch sobald er die ihn beruhigende Angewohnheit angenommen hatte, ihn unablässig zu bewachen, konnte er nicht mehr damit aufhören. Deshalb konnte er sich nicht außerhalb des Hauses mit ihr treffen, und im Haus war immer seine Ehefrau anwesend.

Madame Collins schäumte vor Wut. Ihr Kontostand stieg nur noch um Shillinge pro Woche, wo er doch um Pfundbeträge steigen sollte. Verzweifelt versuchte sie, eine zufällige Gelegenheit herbeizuführen. Und war immer zuckersüß zu Mrs Marble. Doch es war gar nicht so leicht, sich bei Mrs Marble einzuschmeicheln. Die Sorge um ihren Ehemann nahm all ihre Aufmerksamkeit in Anspruch, die sie nicht darauf verwandte, über ihr eigenes Problem nachzudenken. Und jedes Mitgefühl wies sie scharf von sich, denn das konnte ja bedeuten, dass der Mitfühlende ihre Schwierigkeiten besser verstand als sie selbst. Außerdem war Mrs Marble »anständig aufgezogen worden«, in einer Welt, in der es als ein schwerer gesellschaftlicher Makel galt, mit einem Trunkenbold verheiratet zu sein, und jede Anspielung auf die Schwäche ihres Ehemannes versetzte sie sogleich in Empörung.

Und Madame Collins hatte taktlos – auch wenn sie selbst es zu diesem Zeitpunkt für einen taktisch klugen Schachzug gehalten hatte – zu verstehen gegeben, dass sie wisse, was mit Mr Marble los sei, nur um nun überrascht festzustellen, dass Mrs Marble sich maßlos über ihr Wissen ärgerte. Als Grund für diese Differenzen muss noch hinzugefügt werden, dass Mrs Marble jetzt, da sie sich ihr Scheitern selbst eingestanden hatte und wusste, dass sie weder das Leben einer reichen Frau führen noch schöne Kleider so tragen konnte, als täte sie es schon ein Leben lang, einen bitteren Neid auf all jene verspürte, die erfolgreicher waren als sie. Madame Collins missfiel ihr wegen ihrer üppigen Figur und ihres guten Aussehens, wegen der Art, wie sie ihre Kleider trug, und wegen ebendieser Kleider, die sie trug. Doch Mrs Marbles Missfallen war genauso wenig bemerkenswert wie alles andere an ihr, und sie war nicht einmal in der Lage, es anders zu zeigen als durch eine schwache und eher wirre Feindseligkeit, die Madame Collins einfach beiseitewischte. Es ging weit über Mrs Marbles Fähigkeiten hinaus, absichtlich unhöflich zu jemandem zu sein. Und so kam Madame Collins auch weiterhin ziemlich regelmäßig zu Besuch, um sich auf zuckersüße Weise mit Mrs Marble zu unterhalten und manchmal sogar bis in jenes ihr wohlbekannte Wohnzimmer vorzudringen, wenn Mr Marble nicht zu benebelt war, und dort einen verlockenden Hyazinthenduft zu hinterlassen und eine sehnsüchtige Erinnerung an üppiges Fleisch, die gelegentlich in Mr Marbles alkoholgetränkten Geist drang. Im Allgemeinen aber weckte all das wenig neues Verlangen in ihm; er war im Augenblick vollauf zufrieden mit seinen Büchern und seinem Whisky und dem Wissen, dass er den Garten bewachte.

Mr Marble war selten stark betrunken. Das wollte er auch gar nicht. Er versuchte einzig und allein, das beseligende Stadium zu erreichen – das auf die grausame Phase folgte, in der die Vorstellungskraft angeregt wurde –, in dem er nicht mehr in der Lage war, zusammenhängend zu denken und die langen Gedankengänge zu entwickeln, die unweigerlich mit dem Bild endeten, wie er verhaftet und aufs Schafott geführt wurde. Dieses Stadium konnte er leicht schon recht früh am Vormittag erreichen, noch ehe die Nachwirkungen des vorherigen Tages abgeklungen waren, und dann gelang es ihm, diesen Zustand den ganzen Tag lang aufrechtzuerhalten, indem er mechanisch jedes Mal etwas trank, wenn seine Gedanken wieder eine ungute Richtung einzuschlagen drohten. Dieses System war allerdings nicht das Resultat eines sorgfältigen Plans; es war einfach die natürliche Folge der Situation, und lange Zeit funktionierte es recht gut. Angenehm benebelt im Kopf, angenehm platziert in seinem Sessel am Wohnzimmerfenster, mit einem neuen Buch auf dem Schoß, in das er gelegentlich einen Blick warf – Verlagsprospekte waren inzwischen fast die einzige Post, die noch kam, und Mr Marble kaufte im Durchschnitt zwei Bücher über Verbrechen pro Woche –, genoss Mr Marble sein Leben beinah. Seine Ehefrau bedeutete ihm nur wenig, abgesehen davon natürlich, dass es praktisch war, sie mit einem grünen Einkaufsnetz in der Hand zum Laden schicken zu können, um mehr Whisky zu holen, wenn seine Reserve die Menge unterschritt, die er festgesetzt hatte – zwei ungeöffnete Flaschen. Mr Marble aß nur wenig; seine Ehefrau aß sogar noch weniger; und es gab wenig genug zu tun, mit dem Mrs Marble sich hätte beschäftigen können, auch wenn sie sich auf hilflose Art ungeheuer abmühte, das Haus in Ordnung zu halten. Mrs Marble verbrachte ihre Tage damit, auf leisen Sohlen durchs Haus zu wandern, nachlässig hier etwas anzufassen, und dort herumzuhantieren, und jenes auszutauschen. Ihre Gedanken arbeiteten emsig daran, etwas zu verstehen.

Es war dann Madame Collins, die ihr die Gelegenheit gab, einen ersten Hinweis zu finden, der ihr weiterhalf. Madame Collins war an diesem Abend, so wie sie es regelmäßig tat, zu Besuch gekommen und Mr Marble war einmal ein klein wenig nüchterner gewesen als üblich. Infolgedessen war der Abend im Wohnzimmer verbracht und das Abendessen – eine improvisierte Mahlzeit, wie sie typisch war für Mrs Marble – dort serviert worden. Als es für Madame Collins an der Zeit war aufzubrechen, hatte sich Mr Marble, was an sich schon erstaunlich war, langsam vom Tisch erhoben, um sie nach Hause zu bringen. Mrs Marble hatte keine Einwände gehabt; *das* war es nicht, was ihr Sorgen bereitete – noch nicht. Es hatte eine kurze Verzögerung gegeben, als Mr Marble seine Füße in seine Stiefel hineinzwängte, verweichlichte Füße, die seit einer Woche keine größere Einschränkung als Pantoffeln erlebt hatten, und dann waren sie weg. Mrs Marble blieb im Wohnzimmer. Einmal allein, erfasste ihre alte Rastlosigkeit sie wieder. Sie begann durch das Zimmer zu wandern, hier etwas anzufassen, dort herumzuhantieren, jenes auszutauschen. Sie war auf der Suche nach etwas, nach nichts Bestimmtem, nur nach irgendetwas. Genau genommen war sie auf der Suche nach einer Lösung ihres Problems.

Mrs Marble ging durch das Zimmer. Eine Zeit lang sah sie aus dem Fenster, durch das ihr Ehemann den ganzen Tag lang so angestrengt starrte, aber es war schon recht dunkel draußen und außer ihrer eigenen Reflexion konnte sie nicht viel erkennen. Sie nahm ein oder zwei der Ziergegenstände auf dem Kaminsims zur Hand und stellte sie wieder hin. Sie strich mit den Fingern über die Rücken der Bücher, die in den Regalen standen. Daran hatte sie kein Interesse. Dann sah sie das Buch, das auf der Armlehne des Sessels ihres Ehemanns lag, das Buch, das er den ganzen Tag über nur halbherzig gelesen hatte. Mrs Marble griff danach und ließ die Seiten durch ihre Finger gleiten. Es war kein interessantes Buch. Sie wusste nicht einmal, was der Titel – irgendjemandes ›Handbuch für Medizinische Jurisprudenz‹ – bedeutete. Doch an einem Punkt schlug sich das Buch wie von selbst auf, und die aufgeschlagenen Seiten wiesen einige Fingerabdrücke auf, was noch bestätigte, dass diesem Teil mehr Aufmerksamkeit geschenkt worden war als dem Rest des Buches. Es handelte sich um ein Kapitel über Gifte und der Abschnitt war überschrieben mit »Cyanide – Kaliumcyanid und Natriumcyanid«. Eine kleine Falte zeigte sich zwischen Mrs Marbles Augenbrauen, als sie das las. Sie musste an jenen Vormittag denken, der nun schon so viele Monate zurücklag, an jenen Vormittag nach Medlands dramatischem Auftauchen. Ja, das war die Bezeichnung auf dem Etikett des Fläschchens gewesen, das sie in Wills Schränkchen im Badezimmer hatte stehen sehen. Kaliumcyanid. Sie las weiter, um zu erfahren, was das Buch über dieses Thema zu sagen hatte.

»Der Tod tritt praktisch sofort ein. Der Betroffene stößt einen lauten Schrei aus und stürzt schwer; eventuell tritt ihm Schaum vor den Mund. Nach dem Tod bewahrt die Leiche oft den Anschein von Leben, da die Wangen rosig sind und der Gesichtsausdruck unverändert.«

Die Falte zwischen Mrs Marbles Augenbrauen war inzwischen tiefer geworden und ihr Atem ging schneller. Sie konnte sich noch daran erinnern, was sie im Halbschlaf an jenem Abend gehört hatte, als Medland zu Besuch war. Sie hatte Will ins Badezimmer heraufkommen hören, wo er seine Chemikalien aufbewahrte, und sie hatte ihn wieder hinuntergehen hören. Und dann hatte sie einen lauten Schrei gehört.

Bei ihrer nächsten Folgerung täuschte ihre Erinnerung sie, aber es war eine Täuschung, die sie eigenartigerweise in ihren Vermutungen bestätigte. Annie meinte sich daran zu erinnern, dass sie genau zum Zeitpunkt des lauten Schreis auch einen schweren Sturz gehört hatte. Dem war natürlich nicht so; der junge Medland hatte im Sessel gesessen, als Marble »Lass uns darauf trinken« sagte, aber das konnte Annie ja nicht wissen. Beeinflusst von dem, was sie gelesen hatte, war sie sich ganz sicher, dass sie diesen schweren Sturz gehört hatte. Jetzt wusste sie, was es gewesen war, das da durch den Flur und die Stufen zur Küche hinunter geschleift worden war.

Und sie konnte sich auch denken, wohin es von der Küche aus gebracht worden war. Nun wusste sie, warum Will seine ganze Zeit damit verbrachte, durchs Fenster in den Garten hinauszustarren, damit niemand sich dort zu schaffen machte. Das Problem, mit dem sie seit Wochen gekämpft hatte, war gelöst. Plötzlich fühlte sie sich schwach, und sie sank in den Sessel. All ihre anderen Erinnerungen stürmten mit einem Mal unaufgefordert auf sie ein und bestätigten sie in ihrem Ergebnis. Sie konnte sich erinnern, wie sie plötzlich mehr Geld zur Verfügung hatten und wie seltsam Will sich am Morgen darauf verhalten hatte. Jetzt ergab das alles einen Sinn.

Schwach und elend saß sie im Sessel zurückgelehnt da und erschrak, als sie den Schlüssel ihres Ehemannes in der Haustür hörte. Sie bemühte sich krampfhaft, zu verbergen, was sie da tat, doch sie war zu schwach, um irgendetwas zu erreichen. Ihr Ehemann kam ins Wohnzimmer herein, während sie immer noch das aufgeschlagene Buch in der Hand hielt. Ihr Daumen klemmte zwischen den Seiten an der Stelle, wo die interessante Beschreibung der Wirkung von Kaliumcyanid zu finden war.

Schon auf der Türschwelle stieß Mr Marble einen wütenden Ausruf aus, als er sah, was Mrs Marble da tat. Er war nicht gewillt, einen eigenmächtigen Zugriff auf seine kostbare Bibliothek zu dulden, und ging mit großen Schritten auf sie zu, um ihr das Buch aus der Hand zu nehmen. Mrs Marble saß hilflos da und wehrte sich nicht. Sie hielt ihm das Buch sogar entgegen. Doch dabei schlug es an ebender Stelle auf, wo ihr Daumen klemmte, beim Kapitel über die Cyanide.

Mr Marble sah es. Und er sah auch den Ausdruck in ihrem Gesicht. Entgeistert hielt er inne. Es brauchte keine Worte. In diesen paar Augenblicken erkannte er, dass seine Ehefrau es wusste. Dass sie *es wusste.*

Keiner der beiden sagte irgendetwas; keiner der beiden war fähig, in diesem angespannten Augenblick irgendetwas zu sagen. In seltsam ähnlicher Haltung beäugten sie einander, sie mit vor die Brust geschlagener Hand, ganz aufgeregt und tränenreich, und er ebenfalls mit der Hand auf dem Herzen. In letzter Zeit war ihm gar nicht mehr aufgefallen, welch unangenehme Tendenz zu heftigem Klopfen dieses Organ haben konnte, doch jetzt wurde ihm das wieder deutlich gemacht. Sein Herz hämmerte regelrecht in seiner Brust und nahm ihm all seine Kraft, sodass er nach einer Sessellehne greifen und sich daran abstützen musste.

Annie stieß einen leisen, undeutlichen Schrei aus. Das Buch fiel ihr aus der Hand zu Boden, und dann floh sie schluchzend aus dem Zimmer, ohne ihm noch einmal in die Augen zu sehen.

12

Es gibt keine solche Einsamkeit wie die, die man in einer Londoner Vorstadt antreffen kann. Keine so trostlose, entsetzliche. In den Wochen, die nun vergingen, versanken die Marbles in dieser Einsamkeit, und über ihnen hing, wie eine schwelende Gefahr, die unausgesprochene Bedrohung durch ein geteiltes Geheimnis. Die Tage verbrachten sie zusammen unten in den kitschigen Zimmern; die Nächte verbrachten sie zusammen oben im Schlafzimmer in dem riesigen vergoldeten Bett; und doch waren sie beide trotz allem vereinsamt und verängstigt. Die Last ihres Geheimnisses verhinderte jedes Gespräch, abgesehen von den nötigen Allgemeinplätzen in Fragen des Haushalts, und selbst diese beschränkten sie befangen auf das Allernotwendigste. Sie wechselten kein Dutzend Wörter am Tag; sie sagten nichts, taten nichts; sie dachten über nichts nach, außer über die eine schreckliche Sache, über die sie nicht zu sprechen wagten. Die Einsamkeit der Vorstädte, die sie erlebten, war jedoch selbst gewählt; sie hatten absichtlich allen Kontakt mit ihren Nachbarn abgebrochen, und die Nachbarn wandten sich im Gegenzug von ihnen ab und lächelten spöttisch über Mrs Marbles glücklos ausgewählten neuen Kleider und die sagenhaften Möbel, die sie durch die Fenster im Erdgeschoss der Nummer 53 sehen konnten. Aber diese Abgeschiedenheit war nicht sonderlich neu und leicht zu ertragen; ganz anders dagegen verhielt es sich mit der geistigen Isolierung, die jeden von ihnen umgab.

Sie wohnten zusammen, aber allein in dem kleinen Haus und lebten freiwillig in der Gesellschaft des anderen – es wurde ihnen beiden bald klar, dass sie es nicht ertragen konnten, den anderen längere Zeit nicht zu sehen –, aber nicht ein einziges Mal in Wochen blickten sie einander in die Augen. Und nie, niemals machten sie eine Bemerkung über ihre Einsamkeit.

Und in diese albtraumhafte Welt kehrte nun Winnie zurück, beflügelt von ihren Erfolgen im Internat. Sie war inzwischen zweifellos schön, und sie kleidete sich auf vollendete Weise, sobald sie die Fessel der Internatsvorschriften abgestreift hatte. Ihre Schönheit hatte eine Internatsclique auf ihre Seite gezogen und ihr beinahe unerschöpfliches Taschengeld eine andere. Nur elf Monate jünger als ihr toter Bruder, war sie inzwischen schon sechzehn; und ein ausgesprochen gründlicher Unterricht an ihrer alten Realschule – auf die sie mit Entsetzen zurückblickte und über die sie stets taktvoll schwieg – hatte ihr jegliche Probleme bei den Schularbeiten erspart, sodass sie schon nach einem Trimester dort in die höchste Klasse eingestuft worden war. Miss Winifred Marble hatte die allerhöchste Meinung von sich selbst.

Sie kam auf die übliche Weise nach Hause, nämlich ohne ihren Eltern vorher zu sagen, wann genau sie zurückkehren würde, und so traf sie mehr oder weniger unerwartet ein, als ihr Taxi draußen vor der Malcolm Road Nummer 53 hielt. In aller Ruhe stieg sie aus und trat auf den Gehweg. Die Malcolm Road mochte ihrer Ansicht nach ja tatsächlich ein schreckliches Loch sein, aber trotz alldem würde sie sich nicht ein Zehntel des Aufsehens entgehen lassen, das sie dort, wie sie sehr wohl wusste, erregte. Sie konnte sehen, wie in all den Häusern rundum plötzlich Gesichter hinter den Gardinen auftauchten, und sie gewährte den Nachbarn reichlich Zeit, um ihre Unmengen an Gepäck zu bestaunen, die auf dem Dach des Taxis festgezurrt waren, und neidvoll ihr schickes blaues Kleid zu bewundern. Mit einer knappen Anweisung an den Taxifahrer, ihr Gepäck hineinzubringen, marschierte sie schließlich zum Haus und klopfte mit einem kräftigen Rat-tat-tat an die Tür.

Im Haus drinnen saßen ihr Vater und ihre Mutter zusammen im Wohnzimmer, er wie üblich mit einem Buch auf dem Schoß, sie ins Leere starrend und auf ihre unbestimmte Art all den unerfreulichen Gedankengängen folgend, denen ihr Ehemann schon vor langer Zeit gefolgt war. Beim Widerhall von Winnies Klopfen sah Marble seine Ehefrau mit ängstlichem Blick an. Und sie sprang mit panischem Herzklopfen auf.

»Will«, sagte sie, »es ist doch nicht … es ist doch nicht …?«

Nur die Polizei würde so an die Tür der Malcolm Road 53 klopfen. Marble konnte nichts erwidern in diesem Moment. Wieder klopfte es. Marble versuchte, sich mit zitternden Händen eine Zigarette anzuzünden. Was immer auch kommen mochte, er musste versuchen gelassen zu wirken, die Ruhe zu bewahren, so wie es all die Männer taten, von denen er in seinen Büchern gelesen hatte, wenn der Zeitpunkt der Verhaftung kam. Doch seine Hände zitterten zu stark. Und selbst seine Lippen bebten so sehr, dass die Zigarette dazwischen flatterte wie ein Schilfrohr im Wind. Wieder ertönte das Klopfen. Dann riss Mrs Marble sich endlich zusammen.

»Ich gehe«, flüsterte sie schwach.

Und damit ging sie auf leisen Sohlen, wie ein Geist, den Flur entlang. Marble fummelte immer noch an seiner Zigarette herum, als er nach einer scheinbaren Ewigkeit hörte, wie die Tür geöffnet wurde. Und dann hörte er Mrs Marble rufen: »Oh, mein Schatz, du bist es! Oh, Schätzchen …« und Winnies damenhafte Stimme ihr antworten. Vor Erleichterung glitten ihm die Streichhölzer aus den Fingern. Die Zigarette fiel ihm aus dem Mund. Er sackte seitlich gegen die Armlehne seines Sessels, mit starrem Blick und zu schwach, um sich zu bewegen, während sein rasendes Herz zu seinem üblichen Rhythmus zurückfand. Und genau so fanden sie ihn, Winnie und ihre Mutter, als sie ins Wohnzimmer kamen und seine Begrüßung erwarteten.

Dergestalt also waren die Verhältnisse in dem Haushalt, in den Winnie drei Tage vor Weihnachten zurückkehrte. Die Mädchen im Internat, die Winnie um ihre Koffer voll Kleider und ihr üppiges Taschengeld beneideten, hatten wochenlang darüber geredet, was sie in den Ferien alles machen würden. Von der Jagd und von Bällen und von Theatern war die Rede gewesen. Es hatte Vergleiche des Essens im Internat mit dem Essen gegeben, das sie in dieser Zeit der köstlichen Mahlzeiten zu Hause bekommen würden. Und an all diesen Gesprächen hatte Winnie einen Anteil gehabt, der in keiner Weise dem entsprach, den sie sonst normalerweise an den Gesprächen im Internat hatte. Doch sie hatte ihre ganze Fantasie aufgeboten und mit deren Hilfe ein Bild ähnlicher Freuden zu entwerfen gewusst, die ihr bevorstanden. Was die Enttäuschung nun nur umso bitterer machte. Das Mittagessen der Familie Marble bestand an diesem Tag, dem ersten Tag ihrer Rückkehr, aus kaltem Schinken und altbackenem Brot mit Butter, und von beidem war nicht einmal genug da. Der Anzug ihres Vaters war ausgebeult und fleckig, und seine Füße steckten in abgewetzten Pantoffeln. Er trank sehr viel Whisky während der Mahlzeit, und er hatte offensichtlich die ganze Zeit, in der sie weg gewesen war, viel zu viel getrunken. Ihre Mutter trug eine Bluse und einen Rock, die beide schäbig und verknittert waren, wo immer sie knittern konnten, und ihre

Strümpfe hingen ihr faltig um die dünnen Waden. Winnie hob die Augenbrauen und kräuselte ein wenig die Lippen, als sie das sah.

Mrs Marble bemerkte schließlich, dass Winnie unzufrieden war, und empfand unweigerlich so etwas wie Entrüstung. Sie wusste, dass ihre Haushaltsführung nicht makellos war, aber sie würde es ihrer sechzehnjährigen Tochter nicht erlauben, *ihr* Haus herunterzumachen.

»Ist denn sonst nichts zu essen da?«, fragte Winnie, als die letzte Scheibe Schinken weg war und sie mehr Hunger hatte als zuvor, weil sie an die guten warmen und reichlichen Mahlzeiten im Internat in Berkshire gewöhnt war.

»Nein, nichts«, fuhr Mrs Marble sie an.

»Zum Henker noch mal ...«, protestierte Winnie.

Das war kaum ein guter Start in die Weihnachtsferien. Zwei Tage lang hielt Winnie es aus, und dann, am Heiligabend, nahm sie die Dinge selbst in die Hand. Ihre Mutter, die sie zuerst ansprach, war keine große Hilfe.

»Oh, lass mich in Ruhe«, sagte sie auf eine hitzige Art, die ganz untypisch für sie war. »Wir haben so schon genug Sorgen.«

»Aber welche Sorgen *hast* du denn?«, fragte Winnie ehrlich verblüfft. »Ob nun Sorgen oder keine Sorgen, wir haben doch Geld genug und all das, oder nicht?«

Einen Augenblick lang klammerte Mrs Marble sich an diesen Strohhalm, aber sie war keine geschickte Lügnerin, und die zaghafte Bemerkung, dass bei ihnen finanziell eben doch nicht alles zum Besten stehe, erstarb ihr auf den Lippen, als sie Winnies ungläubigen Blick sah.

»Red keinen Unsinn, Mutter«, sagte Winnie, und Mrs Marble senkte kleinlaut den Kopf vor diesem Sturm.

»Nein, das Geld ist es nicht, Schatz. In dieser Hinsicht gibt mir dein Vater wirklich alles, was ich will.«

»Wie viel in der Woche?«, fragte Winnie unnachgiebig.

Mrs Marble unternahm einen letzten verzweifelten Versuch, sich gegen diese unerbittliche Frau zu wehren, zu der ihre kleine Tochter, die sie einst war, sich erstaunlicherweise entwickelt hatte.

»Mach dir darüber keine Gedanken«, sagte sie. »Das ist *meine* Sache, und dies ist *mein* Haus, und du hast kein Recht, dich einzumischen.«

Winnie rümpfte die Nase.

»Kein Recht!«, rief sie. »Obwohl du mir binnen zwei Tagen dreimal kalten Schinken und einmal gepresstes Rindfleisch vorgesetzt hast? Weißt du, dass morgen Weihnachten ist? Ich glaube, du hast noch nicht mal irgendwelche Vorbereitungen getroffen! Und sieh dir nur an, wie du angezogen bist! Es ist ja noch schlimmer als beim letzten Mal, als ich nach Hause kam. Ich hatte dich doch so hübsch ausstaffiert, ehe ich wieder ins Internat gefahren bin. Du hattest so ein hübsches Kleid gekauft, und ... und ...« Es war ein Schritt in die falsche Richtung, denn weder Winnie noch ihre Mutter waren zu dieser Zeit bereits in der Lage, einen Hinweis auf den armen, toten John zu ertragen, für den Mrs Marble sich mit Winnies Hilfe in deren letzten Ferien Trauerkleidung gekauft hatte.

»Jetzt gib endlich Ruhe«, sagte Mrs Marble mit Tränen in den Augen.

Es waren nicht reine Tränen der Trauer, doch sie wirkten nachdrücklich auf Winnie. Sogar sie wurde ein wenig scheu und verlegen beim Anblick ihrer weinenden Mutter. Und so gab sie ihre Nachforschungen gerade in dem Augenblick auf, als nur noch ein klein wenig mehr Nachdruck ihrer Mutter die erstaunliche Tatsache entlockt hätte, dass sie Mr Marbles Ansicht nach zehn Pfund pro Woche für den Haushalt aufwenden sollte, sie aber tatsächlich nur zwei ausgab – noch nicht einmal so viel, wie sie ausgegeben hatte, bevor sie all diese Reichtümer erworben hatten.

Aber Winnie war zumindest beharrlich. Nach ihrer Mutter wandte sie sich an ihren Vater, und sie wagte es sogar, ihn bei seinen whiskygetränkten Träumereien im Wohnzimmer zu stören.

»Vater«, sagte Winnie, »sind wir furchtbar arm, seit du nicht mehr jeden Tag in die Stadt fährst?«

Mr Marble sah sie benebelt an. Doch dann erfasste ihn wieder sein Stolz – der Stolz auf das, was er vor all den vielen Monaten erreicht hatte und was die Angestellten im Finanzviertel bis heute mit angehaltenem Atem erwähnten, in seinem eigenen Heim aber nie die verdiente Anerkennung gefunden hatte.

»Nein«, sagte er. »Wir haben reichlich.«

»Das ist gut. Morgen ist Weihnachten. Ich möchte etwas Geld haben. Viel Geld. Mutter hat sich noch um gar nichts gekümmert.«

Tief in Mr Marbles getrübter Erinnerung begannen Geister sich zu regen. Er dachte an die Zeit – es schien Ewigkeiten her zu sein inzwischen –, als er wollte, dass seine Ehefrau Geld ausgab, und es ihm die allergrößten Schwierigkeiten bereitet hatte, sie dazu zu bringen.

Folgsam hievte er sich aus seinem Sessel und ging beinahe festen Schritts zu dem geradezu absurd vergoldeten Sekretär in der Ecke des Zimmers hinüber. Zittrig öffnete er eins der Fächer, zittrig zog er sein Scheckbuch hervor, zittrig schrieb er einen Scheck aus.

»Die Banken machen aber um halb vier zu«, sagte er. »Du solltest dich besser beeilen.«

Winnie musste nur einen flüchtigen Blick auf den Scheck werfen. Er lautete auf einhundert Pfund.

»Vielen Dank«, sagte sie, und noch ehe sie aus dem Zimmer heraus war, rief sie ihrer Mutter schon zu, dass sie ihren Hut aufsetzen solle.

Mrs Marble war noch nie zuvor in ihrem Leben so hektisch und aufgeregt herumgerannt wie an diesem Heiligabend.

Zuerst herrschte Eile, weil sie den Bus in die Rye Lane erwischen mussten. Dann herrschte Eile, weil sie zur Bank mussten, um den Scheck einzulösen. Winnie stopfte das Geld in ihre Handtasche, als wäre sie daran gewöhnt, jeden Tag ihres Lebens einhundert Pfund darin spazieren zu tragen. Und schließlich herrschte nichts als Eile, während sie die von Weihnachtseinkäufern verstopfte Rye Lane hinauf- und hinunterliefen und alles kauften, was Mrs Marble versäumt hatte zu kaufen, darunter jede Menge notwendiger Dinge, aber auch all die unvermeidlichen weihnachtlichen Luxusartikel. Sie kippte schon fast um vor ungewohnter Anstrengung, als Winnie ein wie vom Himmel gesandtes Taxi heranwinkte und sie mitsamt den unzähligen Päckchen, die sich angesammelt hatten, dort hinein verfrachtete.

Doch nicht einmal das genügte Winnie. Es genügte ihr auch nicht, ihre Mutter am nächsten Tag zu nötigen, einen Truthahn zu braten und die Plumpuddings, die sie gekauft hatten, warm zu machen. Es genügte ihr nicht, dass auf ihre Forderung hin der Tisch mit einem frischen Tischtuch und allem Silberzeug gedeckt wurde. Es genügte ihr nicht, ihrem Vater und ihrer Mutter Geschenke zu machen – gekauft mit dem Geld, das sie am Tag zuvor bekommen hatte – und ihnen zu zeigen, was sie für ihre Tochter gekauft hatten, aus derselben Geldquelle. Es genügte ihr nicht, Stechpalmen- und Mistelzweige im ganzen Haus aufzuhängen. Selbst als der erste Weihnachtsfeiertag vorbei war und ihre Eltern meinten, sie hätten nun alles durchlitten, was möglich war, begann sie methodisch durchs Haus zu gehen und »die Dinge in Ordnung zu bringen«. Jenes Internat in Berkshire rühmte sich besonders der Ausbildung in Hauswirtschaft, die es seinen Schülerinnen mitgab – eine Ausbildung in Hauswirtschaft, deren Maßstäbe auf jene Art Frau zugeschnitten war, die es voraussichtlich niemals mit den wirtschaftlichen Gegebenheiten eines Hauses von dreißig Pfund Grundsteuer im Jahr zu tun haben würde, das kein Dienstmädchen und nicht einmal eine Putzfrau je betreten durfte. Winnies Vorstellungen bewegten sich im ganz großen Maßstab.

Es gelang ihr, Mrs Marble zu verärgern, und in der Folge wie selbstverständlich auch noch ihren Vater. Mr Marble war zuvor bereits unglücklich gewesen, aber es war ein stummes und untätiges Unglück gewesen. Er hatte sich in einem Trott eingerichtet, und ein Trott, mit all seiner Anmutung von Dauerhaftigkeit, war genau das, was ein Mann im Schatten des Galgens brauchte. Und jede Störung dieses Trotts war ärgerlich. Er hatte sich daran gewöhnt, schlecht zu essen, und die anderen Einzelheiten des Haushalts nahm er nie zur Kenntnis. Er hatte sogar schon lange aufgehört, irgendeinen Stolz über seine Empire-Möbel zu empfinden. Und Winnie mit ihrem geschäftigen Treiben störte ihn. Ohne es zu bemerken, hatte ihm die Untätigkeit seiner Ehefrau gutgetan, da dies für ihn bedeutete, dass sie das Geheimnis, das sie, wie er wusste, unter ihrer Brust trug, höchstwahrscheinlich nicht verraten würde. Und jetzt war Winnie über sie hergefallen und veränderte all das. Es gefiel ihm nicht. Und es gefiel ihm noch viel weniger, als er herausfand, dass Winnie ein Auge auf seine Trinkgewohnheiten hatte und daran dachte, sich da ebenfalls einzumischen.

Aber zum Glück gehörte Winnie nicht zu den Menschen, die die Dinge trotz allen Widerstands bis zum bitteren Ende ausfochten. Da war sie wie ihr Vater; sie konnte eine große Anstrengung auf sich nehmen und viel dabei erreichen, doch danach war sie eine beträchtliche Zeit lang erst einmal zu nichts anderem mehr fähig. Ihre Umtriebigkeit ließ nach, und nach kurzer Zeit fand sie sich sogar mit einigen von Mrs Marbles planlosen Vorgehensweisen der Haushaltsführung ab. Und im Nu war sie unglaublich gelangweilt.

Sie hatte erneut die Garderobe ihrer Mutter mehr oder weniger sortiert und sie gedrängt und überredet, die guten Sachen anzuziehen, die in unordentlichen Haufen überall in ihrem Schlafzimmer herumlagen. Doch zu dem Zeitpunkt, als sie ihre Mutter wieder schick gemacht und alles dem System entsprechend aufgeräumt hatte, das sie sogar nach zwei Trimestern im Internat schon verinnerlicht hatte, stellte Winnie fest, dass ihr Interesse an der Haushaltsführung wieder schwand und dass das Leben in der Malcolm Road 53 ausgesprochen langweilig war.

Also schrieb sie einige Briefe an ihre Freundinnen aus dem Internat. Es kommt im Grunde nicht darauf an, wovon sie berichtete, ob es Wahrheit oder Lüge war, ob von Krankheit – natürlich einer nicht ansteckenden – zu Hause oder von häuslichem Unfrieden. Was immer sie auch geschrieben hatte, es erreichte sein Ziel. Kurz darauf schon erhielt sie zwei Einladungen, den Rest der Ferien mit diesen Freundinnen von ihr zu verbringen.

Mittlerweile waren weder Mr noch Mrs Marble traurig, sie ziehen zu lassen. Sie hatte viel zu viel Unruhe gestiftet. Und so verabschiedeten sie sie recht gelassen. Mr Marble gab ihr, teils als reines Dankeschön, teils weil Winnie es als eine Selbstverständlichkeit betrachtete und teils sogar mit einem Anflug seines alten Stolzes, dass seine Tochter in einem Haus, dessen ganze Adresse in einem Namen und einer Grafschaft bestand, als Gast aufgenommen wurde, noch einen weiteren Scheck. Das Leben war ihnen so seltsam und unwirklich geworden, dass sie nichts Ungewöhnliches darin sahen, ein sechzehnjähriges Mädchen mit einem Betrag von fast einhundert Pfund in der Handtasche Leute besuchen zu lassen, die sie nicht einmal kannten.

Mr Marble hatte schließlich immerhin ein Einkommen von fast zwölfhundert im Jahr; davon entfielen etwa dreihundert auf Winnies Internatsgebühren, doch von den restlichen neunhundert gab er kaum ein Viertel aus. Ein Mann, der fünfhundert im Jahr hat, mit denen er nichts anzufangen weiß, macht sich keine Gedanken über ein paar Hunderter, vor allem dann nicht, wenn er jede Minute seines wachen Daseins in der furchtbaren Angst verbringt, gehängt zu werden.

13

Der Frieden, der so unverschämt gestört worden war, war nur unter Schwierigkeiten wiederzugewinnen. Es fiel den Marbles schwer, in den alten Trott zurückzufinden. Und als es ihnen gerade erst gelungen war, da trat schon erneut eine Störung ihres Friedens auf – wenn ihr von panischer Angst erfülltes Dasein denn so genannt werden durfte –, diesmal in Gestalt einer gefährlicheren Person, Madame Collins.

Sie war mit ihrer Geduld am Ende. Fast sechs Monate waren vergangen, seit sie zuletzt auf ihr Bankkonto ein kleines Bündel Geldscheine eingezahlt hatte, das – hätte sich jemand die Mühe gemacht – wohl zu Mr Marble zurückzuverfolgen gewesen wäre. Nach dem letzten schrecklichen Ereignis, als dieser dumme Junge, John, bei dem Motorradunfall umgekommen war, war sie durchaus bereit gewesen, eine Zeit lang zu warten, bis sich die Dinge wieder beruhigt hätten, aber die Warterei dauerte ihr inzwischen einfach zu lange. Die Damenschneiderei in einer Nebenstraße von Dulwich und ihr roboterhafter Ehemann begannen sie außerordentlich zu enervieren. Alles war besser als das, beschloss sie. Zur Weihnachtszeit schon hatte sie vorgehabt, etwas zu unternehmen, doch da war Winnie zu Hause gewesen, als sie zu den Marbles kam, und Winnie hatte sie mit einer derart kühlen Unverschämtheit von Kopf bis Fuß gemustert, dass sogar Marguerite Collins verlegen geworden war – oder vielmehr entschieden hatte, dass es besser wäre, sich Winnie nicht zur

Feindin zu machen. Also hatte sie noch etwas länger gewartet, auf einen günstigeren Augenblick.

Eines Vormittags war Mr Marble allein zu Hause, denn Annie war zu einer ihrer viel zu seltenen Einkaufstouren aufgebrochen. Sie war erst seit fünf Minuten weg, als ein vertrautes rasches, leises Klopfen an Mr Marbles Ohr drang. Unter enormer Anstrengung – alles machte ihm mittlerweile sehr viel Mühe – hievte er sich aus seinem Sessel und ging an die Haustür.

Marguerite Collins war entschlossen, sich nicht abwimmeln zu lassen. Als die Tür aufging, trat sie sofort ein, und sie war schon bis ins Wohnzimmer durchgegangen und hatte sich hingesetzt, bevor Mr Marble die Tür auch nur wieder schließen konnte. Marble ging ihr nach und stellte sich träge und stumpfsinnig vor sie hin. Es würde ganz offenbar Ärger geben, und für Ärger war Marble nicht in der Stimmung.

»Also, was ist los?«, fragte Marble.

Marguerite antwortete nicht sogleich. Sie warf den Pelz, der um ihre Schultern lag, ab und zog sich mit langsamen, absichtsvollen Bewegungen die Handschuhe aus. Gesten, mit denen sie einiges aus ihrem fülligen weißen Hals und ihren molligen Händen machte. Noch vor sechs Monaten hätte allein das Mr Marble zum Handeln verleitet, doch jetzt ließ es ihn kalt. Diese sechs Monate hatte er in träger Trunkenheit und panisch aufschäumender Angst verbracht. Außerdem hatte er von ihr ja auch schon bekommen, was er wollte, und Marguerite war nicht der Typ, der eine tote Leidenschaft zu neuem Leben erwecken konnte. All dies erkannte Marguerite, als sie mit verstohlenem, aber scharfem Blick sein unrasiertes Gesicht und seine ausdruckslosen blauen Augen betrachtete. Es war genau so, wie sie befürchtet hatte. Nun, dann würde es eben rein geschäftlich bleiben, ohne die durchsichtige Maskerade oder irgendetwas sonst.

»Freust du dich denn gar nicht, dass ich dich besuchen komme?«, fragte sie mit jenem Lispeln und Anflug eines Akzents, die Marble einst so wunderbar gefunden hatte.

»Nein«, sagte Marble, dem nichts an Höflichkeiten lag. Genau genommen fiel es ihm immer schwerer, sich überhaupt noch für irgendetwas anderes als das, was da draußen unter der Erde des trostlosen Gartens lag, zu interessieren.

Aber seine Einsilbigkeit machte Madame Collins wütend. Es verletzte sie, und das umso mehr, als ihr diese auch beim letzten Mal schon aufgefallen war.

»Du bist nicht gerade höflich«, sagte sie, und es stieg eine leichte Röte in ihre vollen – zu vollen – Wangen.

»Nein«, sagte Marble.

»Du gibst es auch noch zu! Schämst du dich gar nicht? Und erinnerst du dich nicht mehr an die Zeit, als du nie so mit mir geredet hättest – nie im Leben?«

»Nein«, sagte Marble.

»Nein, nein, nein! Hast du nichts anderes zu mir zu sagen außer ›Nein‹?«

»Nein«, sagte Marble. Man konnte nicht einmal behaupten, dass er absichtlich unhöflich war; denn ein Mann, dessen Gedanken in einem so besonderen Moment einfach von ganz allein ihren Lieblingsweg hin zu Verhaftung und Hinrichtung einschlugen, ist nicht in der Lage, mit einer heißblütigen Frau über irgendetwas zu streiten – schon gar nicht, wenn er im Unrecht ist.

Marguerite Collins biss sich auf die Unterlippe, riss sich aber mit einer enormen Willensanstrengung sogleich wieder zusammen. Geld war schließlich – so sprach die Bauernseele in ihr – stets süßer als Rache, auch wenn sie beide süß waren;

sollte sie kein Geld bekommen, könnte sie sich ja immer noch auf das andere verlegen, doch sie würde keine Mühen scheuen, um aus diesem schwachsinnigen Privatier noch mehr Geld herauszuholen.

Sie sprach gelassen, und sie ließ gerade so viel von der alten Liebenswürdigkeit in ihren Ton einfließen, dass sich Marble ihr gegenüber vielleicht wieder etwas weicher zeigen würde.

»Hör mal, Will, ich stecke in Schwierigkeiten. In großen Schwierigkeiten. Mein Mann – du weißt ja, wie er ist, oh wie oft habe ich es dir erzählt –, er ist unerträglich. Ich hasse ihn. Und inzwischen glaube ich – er hasst mich auch. Ich muss ihn verlassen. Ich muss weg von hier. Ich will in die Normandie zurückgehen, nach Rouen. Aber dafür brauche ich Geld. Er hat keins. Und ich auch nicht. Will, Liebling ...«

Marble machte einen der größten Fehler seines Lebens, als er zum fünften Mal an diesem Vormittag »Nein« sagte. Die Röte auf Marguerites Wangen wurde tiefer; scharlachrot war sie angelaufen vor Empörung. Es ist unklar, warum Marble es gesagt hat; ein einziger der nicht ausgegebenen Hunderter aus seinem Jahreseinkommen hätte die Angelegenheit vorerst beendet. Doch die Weigerung entschlüpfte seinem Mund, noch ehe er sich dessen bewusst wurde; er versuchte einfach, es hinauszuzögern. Seine im Finanzviertel erworbene Umsicht sagte ihm, dass es sich hierbei um Erpressung handelte und dass es verhängnisvoll war, einem Erpresser nachzugeben; und irgendwie wusste er auch, dass er in diesem Augenblick höchstwahrscheinlich gar nicht genug Geld im Haus hatte, um sie zufriedenstellen zu können, und er würde ihr keinen Scheck geben – er nicht. Also sagte er »Nein«, obwohl er eigentlich »Ja« meinte, und wäre er an diesem Vormittag nicht so stumpfsinnig gewesen, hätte er sich wohl eher auf die Zunge gebissen als es auszusprechen.

Marguerite ließ sich dazu herab, ein oder zwei Drohungen auszustoßen.

»Wie schade«, sagte sie, »denn ich muss meine Freiheit wiederhaben. Würde ich meinem Mann so ein, zwei kleine Dinge erzählen – ah, dann gäbe er mich bestimmt sogleich frei, meinst du nicht auch? Und das würde dich viel Geld kosten, viel mehr als das, worum ich dich so freundlich gebeten habe. Und deiner Frau würde es bestimmt auch gar nicht gefallen, wenn es so weit käme, oder? Sie weiß im Moment ja noch nicht einmal Bescheid, hm? Wenn du willst, dass sie ...«

Marbles bleiches Gesicht lief rot an und zeigte danach gleich wieder seine übliche Blässe.

Der Stich hatte gesessen. Alles, nur Annie durfte nichts davon erfahren. Annie hielt den Schlüssel zu seinem Leben in der Hand; sie hatte sein Geheimnis erraten, davon war er überzeugt. Das Wissen darum hatte ihm bis zu diesem Moment wenig Sorgen bereitet. Sie war schon seit so langer Zeit ein Niemand in seinem Leben, dass es ihm egal gewesen war, einmal davon abgesehen, dass er ihr deshalb nur ungern in die Augen blickte. Aber wenn Annie davon erfahren würde! Sein alkoholgetränkter Geist erkannte zum ersten Mal, wie dringend notwendig es war, Annie bei guter Laune zu halten. Die panische Angst in seiner Brust ließ ihn die Selbstkontrolle verlieren.

»In Ordnung, ich gebe dir Geld«, sagte er. »Wie viel?«

Damit hatte er sich selbst den Boden unter den Füßen weggezogen. Er hatte ihr gezeigt, mit welchem Vorgehen sie das meiste erreichen konnte; er hatte ihr gezeigt, wie groß seine Angst davor war, dass Annie etwas erfuhr; mit seiner anfänglichen Weigerung und dem späteren hastigen Einlenken hatte er sich dem Feind gefesselt und nackt ausgeliefert. Marguerite stieß ein kurzes, ein hämisches, kehliges Lachen aus. Dann ergriff sie wieder das Wort und nannte den Betrag ganz so, als würde es sich um eine Selbstverständlichkeit handeln.

»Dreihundert Pfund.«

»Ich ... ich habe gar nicht so viel!«

Die Überraschung in Mr Marbles Tonfall war nicht zu überhören und echt; doch Marguerite war scharfsinnig genug, um zu erkennen, dass er diesen hohen Betrag durchaus hatte.

»Dreihundert Pfund«, wiederholte sie.

»Aber so viel habe ich gar nicht im Haus, und einen Scheck –«

»Ein Scheck ist genau das, was ich will«, warf Madame Collins unerbittlich ein, und als sie ihn einen Moment zögern sah, fügte sie hinzu: »Und deine Frau kommt doch auch bald wieder, oder nicht?«

Marble ging an den vergoldeten Sekretär und schrieb einen Scheck aus.

Madame Collins schloss gerade wieder ihre Handtasche, als sie beide Annie Marbles Schlüssel in der Haustür hörten. Als diese das Wohnzimmer betrat, war Marble unverkennbar derjenige, der in Aufruhr war. Madame Collins selbst war zuckersüß wie immer, gelassen und selbstbeherrscht.

»Ich bin hier, um mich zu verabschieden«, sagte sie. »Morgen fahre ich nach Frankreich.«

»Nach Frankreich?«

»Ja, ich will Urlaub machen. Es tut mir leid, dass Sie nicht zu Hause waren, als ich kam, denn ich fürchte, ich habe noch so viel zu tun, dass ich nicht länger bleiben kann. Nein, nein, ich kann wirklich nicht mehr bleiben. Auf Wiedersehen, meine liebe Mrs Marble. Ich werde Ihnen eine Postkarte schicken aus Rouen.«

Und dann war sie weg. Es war wirklich schade, dass Mr Marble so deutlich bestrebt gewesen war, sie loszuwerden.

Denn sie selbst war noch viel bestrebter, aus dem Haus zu kommen, damit sie auf dem schnellsten Wege diesen Scheck einlösen konnte, ehe Marble ihn sperren ließ in dem Fall, dass er zufällig wieder so weit zu Sinnen kommen und zu so etwas fähig sein sollte, aber sie ließ es sich in keiner Weise anmerken. Es entsprach absolut der Wahrheit, dass Mrs Marble zu diesem Zeitpunkt die Nervosität ihres Ehemannes nicht auffiel, aber kleine Dinge wie diese hatten, wie die Zeit bereits gezeigt hatte, die Tendenz, sich Mrs Marble einzuprägen und in den ungünstigsten Augenblicken wieder aufzutauchen.

Nachdem Madame Collins gegangen war, beäugte Mr Marble seine Ehefrau besorgt. Er hatte jetzt begriffen, dass sie eine Person von größter Wichtigkeit war im Hinblick auf seine Angelegenheiten, und darüber hinaus noch, dass sie letztlich jemand war, der, sollte es je dazu kommen, wohl unabhängig handeln könnte. Er hatte sich in all diesen Ehejahren so sehr daran gewöhnt, sie als das komplette Gegenteil eines selbstständigen Menschen zu betrachten, als ihm fast genau so gehorsam wie seine eigenen Glieder, dass der Gedanke, dem könnte nicht so sein, ihn entsetzte. Es gab nur eine einzige Sache, das wusste Marble, die sie seinen Wünschen zuwiderhandeln lassen würde, doch gerade die war der unwägbarste aller Faktoren. Wenn Annie erfahren würde, dass er ihr untreu gewesen war; wenn sie erkennen musste, dass seine Liebe für sie – falls sie überhaupt je existiert hatte, und das hatte sie in ihrer Vorstellung, nur darauf kam es an – tot war, dann wäre sie fähig, die unabsehbarsten Dinge zu tun. Nicht, dass sie ihn absichtlich verraten hätte – das nahm nicht einmal der vor Angst halb wahnsinnige Marbel an –, aber in ihrer Bestürzung könnte ihr etwas entschlüpfen, das die Lawine von Gerüchten und die darauffolgenden Ermittlungen in Gang setzen würde, die Mr Marble so fürchtete. Es war von größter

Wichtigkeit, sie auch weiterhin in dem Glauben zu lassen, er liebe sie. Und dass er diesen Umstand in seiner ganzen Tragweite erfasste, verdankte er einzig und allein Madame Collins. In diesem Moment war er Letzterer beinahe dankbar dafür, dass sie ihm das klargemacht hatte. Aber trotz alldem beäugte er seine Ehefrau besorgt. Es war noch eine zusätzliche Komplikation, und die Last seiner Sorgen wog schon jetzt beinah schwerer, als er ertragen konnte.

Und dennoch war diese neue Komplikation, auch wenn Mr Marble sie nicht schätzte, wohl etwas, das sich zumindest vorläufig erst einmal als ein Segen erwies. Sie lenkte Mr Marbles Gedanken von seiner hauptsächlichen Sorge ab, und das war mehr, als irgendetwas anderes im Laufe des letzten Jahres geleistet hatte. Und die Situation wirkte dergestalt auf ihn zurück, dass Mr Marble vierundzwanzig Stunden lang fast überhaupt keinen Whisky trank.

Doch es war eine Sache, den Entschluss zu fassen, sich seiner Ehefrau gegenüber liebenswürdig zu verhalten, und eine ganz andere, diesen auch umzusetzen. Mr Marble war geradezu verlegen, als er seine Ehefrau beäugte und sich zum Handeln aufzuraffen versuchte. Er lebte mittlerweile seit einem Jahr in allernächster Nähe mit ihr und dennoch in der strengsten Isolation; es würde schwierig sein, das Eis zu brechen und ganz von vorn anzufangen. Außerdem lag der Schatten eines schrecklichen Geheimnisses zwischen ihnen. Das könnte sie später vielleicht einmal stärker aneinanderbinden, aber in diesem Moment war es ein beinahe unüberwindliches Hindernis. Weder im Laufe dieses Tages noch an diesem Abend, noch am Tag darauf machte Mr Marble irgendwelche Fortschritte.

Das heißt, er machte seiner eigenen Einschätzung nach keine Fortschritte. Sechsunddreißig Stunden nach seinem

Entschluss zu diesem Verhalten war Mr Marble immer noch beinah schüchtern und verlegen in Gegenwart seiner Ehefrau. Aber Mrs Marble war etwas aufgefallen. Ihr fiel natürlich vor allen Dingen auf, dass er nicht betrunken war. Das war unübersehbar. Dieses Maßhalten geschah teils freiwillig, teils instinktiv, ganz im Einklang mit Mr Marbles Einsicht, dass es besser wäre, wenn er einen klaren Kopf behalten und so angenehm wie möglich auf seine Ehefrau wirken würde. Aber teils war es auch dem Umstand geschuldet, dass Mr Marble angesichts dieses neuen Problems, über das es nachzudenken galt, keinen Gedanken mehr an seine anderen Sorgen verschwenden konnte und folglich auch keinen Bedarf hatte, seinen Geist zu betäuben.

Doch Mrs Marble fiel noch mehr als seine Nüchternheit auf. Sie ertappte ihn wiederholt dabei, wie er mit einer gewissen Unruhe zu ihr hinüberblickte – ganz so wie ein werbender Mann es tun würde. Und er machte auch ein oder zwei zögerliche Versuche, ein Gespräch mit ihr zu führen. Wenn man bedachte, dass er seit Monaten außer den wenigen allernotwendigsten Worten nichts mehr zu ihr gesagt hatte, war das eine enorme Veränderung. Er sah sie an, er sprach mit ihr, und das mit einer Schüchternheit, die ihr Herz höher schlagen ließ; und mehr als einmal setzte er an, so als wollte er etwas zu ihr sagen, hielt dann aber, offenbar verlegen, in der letzten Minute inne. Mrs Marble empfand eine seltsame Freude. Der liebe Will war letzten Endes ihr ganzes Leben, vor allem jetzt, da sie John verloren hatte, und so nahm sie, Geheimnis hin oder her, dies neue Werben auf diese seltsam schüchterne Art dankbar an und fühlte sich darin geborgen und getröstet.

Es war am Abend nach Madame Collins' Besuch, dass die Dinge wirklich einen Neuanfang nahmen. Sie saßen zusammen im Wohnzimmer hinten und versuchten sich zu unterhalten, als Collins selbst zu Besuch kam. Mrs Marble brachte ihn herein. Er war ein schwächlicher, blasser, blonder Mann und wirkte ganz bleich und erledigt. Mit einem Seufzen nahm er in dem Sessel Platz, der ihm angeboten wurde.

»Ich komme zu Ihnen, um zu erfahren, ob Sie irgendetwas über meine Frau wissen«, sagte er matt.

»Was, über Marguerite? Aber ja, sie war gestern hier und hat erzählt, dass sie Urlaub machen will. Wo wollte sie gleich wieder hin, Will?«

»In die Normandie vermutlich«, sagte Marble. Es sollte so aussehen, als wüsste er so gut wie gar nichts über diese Angelegenheit.

»Dachte ich's mir doch«, seufzte Collins.

Keiner der beiden Marbles ergriff das Wort, und nach einem Augenblick fuhr Collins fort.

»Sie ist weg. Vermutlich für immer. Ich ... ich weiß allerdings nicht, ob sie allein gegangen ist.«

»Aber hat sie denn nicht gesagt, wohin sie geht?« Mrs Marble war ziemlich unerschütterlich an diesem Abend, eine Folge der schmeichelhaften Aufmerksamkeit ihres Ehemannes.

»Nein. Ich wusste gar nicht, dass sie geht. Dafür hat sie gesorgt. Sie hat alles mitgenommen.«

»Alles?« Mrs Marble verstand nicht.

»Alles. All unsere Ersparnisse. All ihre eigenen Sachen auch. Und heute Morgen habe ich sogar noch einen Beleg über den Verkauf unserer Möbel gefunden.« Collins stützte seine Stirn in die Hände. »Sie ist gestern schon gegangen«, fügte er noch an.

Die Marbles spürten, wie nutzlos es wäre, ihn trösten zu wollen. Eine Zeit lang fiel kein Wort. Dann stand Collins auf und griff nach seinem Hut. Er zögerte eine Sekunde.

»Es tut mir leid, Sie belästigt zu haben«, sagte er matt. »Aber ich … ich wollte es nur wissen.« Und dann fügte er mit einem kleinen Anflug von Gefühl noch hinzu: »Es ist so furchtbar, andere Leute nach meiner eigenen Frau fragen zu müssen. Aber … ich wollte nicht, dass sie geht. Ich wollte nicht, dass sie geht.«

Er brach fast zusammen, drehte sich aber um und begann auf die Tür zuzuwanken. Marble folgte ihm. Halbherzig, doch in einem weltmännischen Ton bot er seine Hilfe an.

»Wenn ich irgendetwas tun kann, Collins …«

»Das glaube ich nicht«, sagte Collins kläglich.

»Geld?«

»Nein, ich will kein Geld. Sie war diejenige, die hinter Geld her war.«

Mit hängenden Schultern lief Collins blindlings und kraftlos den Flur hinunter. Es nahm ihn offensichtlich ziemlich mit, dass seine Ehefrau ihn verlassen hatte – sehr viel mehr als Marble erwartet hätte. Es wurde deutlich, dass Marguerites Geschichten über ihre unglückliche Ehe wohl recht einseitig gewesen waren.

»Nun, falls ich *doch* irgendetwas tun kann …«, sagte Marble noch einmal.

Es war das unvermeidliche, wenig überzeugende Angebot der Hilfe, und Collins lehnte es ein weiteres Mal ab. Und dann ging er in den Abend hinaus, mit schleppenden Schritten, kaum in der Lage zu gehen. Mrs Marble standen Tränen in den Augen, als Marble zu ihr ins Wohnzimmer zurückkam.

»Der arme Mann«, sagte sie.

Marble nickte.

»Und was für eine abscheuliche Frau sie sein muss«, fuhr sie fort. »Schon als ich sie zum ersten Mal sah, habe ich gedacht, dass sie … nun ja, du weißt schon, so ist.«

Mrs Marble hatte nichts dergleichen gedacht; aber sie meinte es getan zu haben, nach dem Ereignis.

»Der arme, alte Collins wirkt ganz gebrochen«, lautete Marbles Kommentar.

»Er muss sie sehr geliebt haben. Der arme Kerl! Und jetzt ist sie weg und hat ihn ganz allein gelassen. Was für eine abscheuliche Frau!«

Ihre Augen füllten sich immer stärker mit Tränen jetzt, da sie neben ihm stand, und eine seltsame Woge des Gefühls durchfuhr ihre Brust. Marble sah sie sonderbar an. Beider Herzen klopften heftig.

»Du würdest mir so etwas doch nicht antun, oder?«, sagte Marble an ihren Ärmelsäumen herumfingernd.

Annie blickte auf und sah ihm eine Sekunde ins Gesicht – nur eine Sekunde lang.

»Oh, wie könnte ich? Oh, Will, mein lieber Will.«

Es bedurfte keiner weiteren Worte mehr. Aber als Marble sie küsste – auch ihre Wangen waren jetzt tränenfeucht –, empfand er tief im Inneren ein sonderbares Schuldgefühl. Und dennoch war dieser Kuss aufrichtig gemeint, wirklich. Vielleicht hatte Judas einst das Gleiche empfunden.

14

Und so hielt, so unglaublich es auch scheinen mag, eine Zeit lang wieder Sonnenschein Einzug in die Malcolm Road 53. Die schwarze Angstwolke lichtete sich, und Annie Marble lief tatsächlich in hohen, brüchigen Tönen singend die Treppe auf und ab, während sie ihre Hausarbeit erledigte. Nicht ein Wort war gefallen zwischen ihnen über den schrecklichen Schatten der Angst, der drohend über ihnen lag, doch jetzt, da sie beide es wussten und gezeigt hatten, dass sie mit dem Wissen leben konnten, schien der Schatten nicht mehr ganz so schwarz. Es war eine geteilte Sorge, und eine geteilte Sorge ist *naturgemäß* eine Sorge, deren Last um die Hälfte leichter wiegt.

Singend lief Annie Marble die Treppe auf und ab. Marble, der unten saß, konnte ihre dünne Stimme und ihren leichten Schritt hören. Zurzeit ließ ihn weder ihre Stimme finster das Gesicht verziehen, noch war ihm ihr Schritt, wie einst, zu verstohlen, um ihn ertragen zu können. Der Whisky hatte vorläufig seinen Reiz verloren; es bestand keine dringende Notwendigkeit für ihn, seinen Geist zu betäuben. Meistens umspielte ein sonderbares Lächeln Marbles Lippen – und er hatte schon seit Monaten nicht mehr gelächelt –, wenn er daran dachte, wie sehr sich alles verändert hatte, nur weil er seiner Ehefrau Beachtung schenkte. Auch er war froh darüber, und er konnte inzwischen nicht mehr ohne dieses Lächeln an seine Ehefrau denken. Er empfand Freude und Trost, wenn er an sie dachte. Ihre momentane gute Laune mochte mitleiderregend sein, ja vielleicht sogar ein wenig lächerlich, aber sie war, nichtsdestotrotz, ansteckend. In Mr Marbles Herzen regte sich so etwas wie Zuneigung, eine fast väterliche Zuneigung, für die Frau, die ihn so sehr liebte.

Und es war ein ausgesprochener Vorteil – auch eine noch so niederträchtige Betrachtungsweise hatte ihre Vorteile –, dass er eine willfährige Verbündete im Haus hatte, auf die er sich verlassen konnte und die ausreichend Wissen über die Fakten des Falles besaß, um ihm, sollte der Ernstfall eintreten, helfen zu können.

Mr Marble war sogar fähig, gelegentlich seine Obsession vollständig abzustreifen und das Haus – und den Garten – der Obhut seiner Ehefrau zu überlassen, während er durch die schäbigen Straßen spazierte, um sich etwas Bewegung zu verschaffen. Die vereinzelten Strahlen der Frühlingssonne schienen ihn schon zu wärmen zu einer Zeit, da andere Leute noch ihre schweren Mäntel umklammernd in der bitteren Kälte dahineilten, und er blinzelte dankbar ins Sonnenlicht mit seinen hausblinden Augen.

Und was Annie Marble betraf, sie war eine völlig veränderte Frau. Sie ging singend durchs Haus; die Hausarbeit war ihr jetzt ein Leichtes, so gut tat ihr das Wissen, dass der liebe Will unten saß und an sie dachte; und aus einem der selten genutzten Küchenfächer zog sie sogar ein fleckiges Exemplar von Mrs Beetons bekanntem Kochbuch – ein Hochzeitsgeschenk, das sie nicht mehr zur Hand genommen hatte, seit sie sich vor sechzehn Jahren um zwei Kinder kümmern musste – und bemühte sich fröhlich, wenn auch selten erfolgreich, neue Köstlichkeiten für ihren geliebten Herrn zu fabrizieren. Denn inzwischen mangelte es nicht mehr an Geld, und vor sechzehn Jahren war Annie der Ansicht gewesen, dass man eine Menge Geld brauche, wenn man im Stile von Mrs Beeton kochen wollte. Und der Wille dazu musste auch vorhanden sein. So saß sie an den Abenden oft da und schrieb umständlich Listen für die großen Lebensmittelläden, wo sie alle möglichen seltsamen Dinge bestellte, Dinge, die zu bestellen ihr noch nie in den Sinn gekommen war, Austern in Dosen, Spargel, *foie gras,* sonderbare Listen, für die Mr Marble ohne ein Murren Schecks ausschrieb. Er hatte das Gefühl, dass er nun doch noch einen gewissen Lohn für das Geld erhielt, das er auf so riskante Weise während seiner Fronzeit in der Bank erworben hatte. Und zwar zum ersten Mal.

Und auch Mrs Marbles Privatausgaben begannen sich in zuträglichem Maße zu erhöhen. Sie wagte sich nicht mehr in die Bond Street, das wäre zu viel verlangt gewesen von ihr; sie konnte die ungeheure Überheblichkeit der jungen Damen in diesen Geschäften nicht ertragen; selbst die High Street in Kensington war ihr noch etwas zu vornehm, doch in der Rye Lane fühlte sie sich außerordentlich wohl. Die Läden dort nannten die Straße in ihren Werbeanzeigen arrogant »die Regent Street Südlondons« und taten ihr Bestes, dieser Prahlerei gerecht zu werden. Mrs Marbles zerbrechliche kleine Gestalt und ihr einfältiges Gesicht, das aufgrund ihres Glücks beinahe hübsch war, wurden dort wohlbekannt. Sie lief hin und her zwischen den großen Läden, bestellte hier etwas, probierte dort etwas an, und das, trotz all ihres Geldes, stets mit dem Anflug einer entschuldigenden Haltung, da sie den Verkäuferinnen doch so viele Umstände machte. Für sie war es eine der allergrößten Freuden, so groß, dass es beinahe wehtat, Sachen zu kaufen, was immer sie auch wollte, ohne über die Kosten nachdenken zu müssen. Doch stets beendete sie mittendrin plötzlich ihre Einkäufe und beeilte sich, einen Bus zu erwischen, um nach Hause zu fahren und sich zu versichern, dass ihr lieber Will sich auch keine Sorgen um sie machte.

Doch dieses Glück, dieser Augenblick des Friedens, war nur die Ruhe vor dem Sturm. Es war ihnen beiden bewusst, auch wenn sie es nicht einmal sich selbst gegenüber jemals eingestanden. Und weil sie es nicht eingestehen wollten, war ihre Beziehung zueinander immer noch gestört. Das fiel Annie eines Vormittags auf, als sie aus der Rye Lane zurückkam und Marble lustlos in seinem Sessel im Wohnzimmer dasitzend vorfand, fast genau so wie er in den vergangenen düsteren Tagen dagesessen hatte. Etwas verfinsterte seine Stirn, das erkannte sie sofort. Doch sie versuchte, sich ganz normal zu verhalten. Aufgeregt ging sie mit all ihren Päckchen auf ihn zu, stellte diese achtlos auf dem Tisch ab, beugte sich zu ihm hinunter und gab ihm spontan einen leichten Kuss – eine Masche, die sie noch niemals angewandt hatte, nicht einmal in den Flitterwochen.

»Sieh mal, ich bin wieder da«, sagte sie. Es war genau die Art von Bemerkung, die man von ihr erwarten würde, und deshalb hätte umgehend ein Lächeln folgen sollen; und das wäre am Tag zuvor auch noch geschehen.

Doch heute war da kein Lächeln. Marbles verschlossener, abgestumpfter Ausdruck verängstigte sie, so sehr ähnelte er dem Ausdruck, den er in der schlimmen Zeit gezeigt hatte. Ein leichtes Schaudern ergriff sie, als sie bemerkte, dass dies in ihr die gleichen Gefühle hervorrief, die sie aus jener Zeit bereits kannte, so als wären sie Echos. Ein Licht war erloschen in der Welt.

»Was ist denn los, Schatz?«, fragte sie. »Geht's dir ... geht's dir nicht gut?« Das war alles, was sie sagen konnte aufgrund dessen, was immer noch zwischen ihnen stand. Sie konnte ja schlecht fragen: »Plagt dich dein Gewissen?« oder: »Hast du immer noch Angst, verhaftet zu werden?«

Und Marble konnte nur matt »Oh, mir geht's gut« erwidern und sie ganz verlegen und ängstlich abwimmeln. Er konnte ihr nicht erzählen, dass das, was er vorausgesehen hatte, eingetreten war; dass mit der zweiten Post, zum Glück nach ihrem Aufbruch, ein Brief aus Rouen eingetroffen war, ein gemeiner, bitterer Brief, der in zarten Sätzen und Worten von der angeblich ungebrochenen Zuneigung der Schreiberin zu ihm sprach, aber eigentlich nur eine höhnische Forderung nach Geld war – nach noch mehr Geld. Auf den Betrag selbst kam es gar nicht so sehr an; Marble hatte genug und auch genug übrig, um selbst Marguerite Collins ruhigzustellen. Nein, das Geld war es nicht. Es war die Tatsache – auch wenn er es sich nicht eingestehen wollte –, dass dieser Brief das in sein Leben zurückgebracht hatte, was eine Zeit lang verschwunden gewesen war – das Gefühl unerträglicher Unsicherheit, das Wissen, dass die Zukunft voll grausamer Möglichkeiten war, hatte einmal mehr seine Gedanken zu den Dingen schweifen lassen, die geschehen könnten. An diesem Tag begann Marble wieder viel zu trinken. Und das konnte man ihm kaum vorwerfen.

Dennoch raffte er sich am nächsten Vormittag so weit auf, dass er in die Stadt fahren konnte; er löste einen Scheck ein, und mit diesem Geld ging er in eine Wechselstube und tauschte die Pfundnoten in viele schmutzige Hundert-Franc-Scheine ein, die er in einem Briefumschlag als Einschreiben nach Rouen schickte.

Auf diese Weise zog die alte Atmosphäre in die Malcolm Road 53 wieder ein. Sie wuchs langsam heran, und die junge Freundschaft starb erbarmungslos; denn so wie das eine zwangsläufig wuchs, starb das andere unweigerlich. Und die leidenschaftliche Liebe, die Annie für Marble empfand, die Liebe, die er wiedererweckt hatte, wurde preisgegeben und niedergetrampelt. Leidenschaft hatte sie, auf unbestimmte

Art, früher schon einmal erlebt, als sie jung verheiratet gewesen war, und Liebe hatte sie immer für ihn empfunden; aber diese neue Liebe, dieses herrliche, großartige Gefühl, das eben erst, geboren aus einer mit ihm geteilten Sorge, in ihr Leben getreten war und das diese kurze Zeit lang ihr ganzes Dasein aufgehellt hatte, verwandelte sich in Gift und Bitterkeit. Und das war für sie beide schlimm.

Die Auswirkungen waren noch nicht allzu ausgeprägt zu der Zeit, als Ostern kam und Winnie erneut aus dem Internat zurückkehrte. Sie hatte sich verändert, genau so wie sie sich in den beiden Trimestern zuvor verändert hatte. Sie war größer geworden – inzwischen überragte sie ihren Vater fast – und sie war schöner denn je. Ihr Benehmen hatte sich ebenfalls verändert. Sie hatte an Selbstsicherheit gewonnen – man sollte es besser Unverschämtheit nennen – und der typisch kehlige Ton ihrer Stimme war noch ausgeprägter. Ihr Teint war makellos und ihre Figur wunderbar. Ihre Oberlippe war schmal und ihre Augenlider schwer, und sie hielt sich auf eine ungezwungene Art aufrecht, die die Arroganz ihres Benehmens nur noch unterstrich.

Sie war inzwischen Schulsprecherin des Internats, dank der Fähigkeit, in Prüfungen gute Noten zu erzielen, ohne vorher viel dafür lernen zu müssen, und auch dank eines unerwarteten Talents für Lacrosse und Tennis; sie war nicht die Art Mädchen, das sich irgendwelchen Unsinn von ihren altmodischen Eltern gefallen lassen würde, ganz bestimmt nicht.

Anfangs lief es gar nicht einmal so schlecht. Die Dinge entsprachen noch einigermaßen dem alten Idealzustand, den die Marbles in der guten Zeit, die gerade zu Ende gegangen war, erreicht hatten. Winnies schwere Augenlider hoben sich beim ersten Mittagessen ein wenig vor Überraschung, als sie das fleckenlose weiße Tischtuch und das glänzende Silber sah und eine Mahlzeit bekam, die sowohl in Qualität als auch in Quantität denen im Internat nur wenig nachstand.

Doch die kurze Periode der Vertrautheit, die ihre Eltern erlebt hatten, hatte ein unseliges Erbe hinterlassen. Jetzt konnten sie miteinander streiten, was mehr war, als sie je vermocht hatten, und das nutzten sie weidlich aus. Die Enttäuschung über den Niedergang ihres Glücks zerrte an beider Nerven, und sie zeigten eine erschreckende Neigung, einander anzuschnauzen, die Winnie missbilligte. Es zeugte von ausgesprochen schlechtem Stil, wenn ein Ehemann und eine Ehefrau sich in aller Öffentlichkeit stritten. Winnie war der Ansicht, dass ihre Anwesenheit ausreichte, um von »Öffentlichkeit« reden zu können.

Hinter Winnies gekräuselter Stirn entwickelte sich mit der Zeit so einiges. Sie hielt sich selbst für kaltblütig und wohlüberlegt. Wohlüberlegt mag sie gewesen sein; kaltblütig aber war sie gewiss nicht. Sie konnte Möglichkeiten abwägen und einen Plan für eine Unternehmung ausarbeiten, aber sie entschied sich nie für den umsichtigen Plan, den diese Möglichkeiten nahelegten. Winnies Kaltblütigkeit lief genau genommen darauf hinaus, dass sie fähig war, die Dummheit von rücksichtslosem Verhalten zu erkennen, aber unfähig, ebendieses zu vermeiden.

Anfangs war sie umsichtig. Sie stockte ihre Garderobe in einem Umfang auf, den man sich kaum vorstellen konnte; und ihr Vater bezahlte alle Rechnungen ohne zu murren. Er konnte sich immer noch darüber freuen, dass seine Tochter mit zwei Baronessen zur Schule ging – den Töchtern eines hochherrschaftlichen Kriegsgewinnlers – und dass sie in den letzten Ferien auch noch einige andere Adlige kennengelernt hatte. Unter diesen Umständen hatte er ganz und gar nichts dagegen, für ihre Kleidung zu zahlen.

Selbst als Winnie die Frühjahrsmode studierte, lächelte sie

noch mit einer gewissen Süffisanz erleichtert darüber, dass ihre Eltern diesen komischen Fimmel hatten, in einem schäbigen Haus in einer schäbigen Vorstadt zu wohnen. Wenn die beiden sich anderweitig orientiert hätten, als sie ihr Geld erwarben, wie sie selbst es einst wollte, wäre jetzt nicht all dies locker sitzende Bargeld da. Zwölfhundert im Jahr war nicht viel; wenn sie ein großes Haus und ein Auto hätten, wäre ihr Vater wohl weder in der Lage, dreihundert im Jahr für ihr Internat noch diese hohen Beträge für ihre Kleidung zu zahlen, und was den Scheck anging, den sie ihm gerade abgeschwatzt hatte – na, da hätte er bestimmt mehr als einmal nachdacht, ob er ihr den gibt!

Winnie nahm die Atmosphäre der Unsicherheit, die wie ein Nebel über der Malcolm Road 53 hing, nur zu deutlich wahr; die wahren Gründe dafür kannte sie natürlich nicht, aber sie nahm sie ernst genug, um ihr Bestes zu tun und Heu zu machen, solange die Sonne noch schien. Sie hatte Unmengen an Kleidung, und sie hatte einen enormen Geldbetrag in der Handtasche – einen Betrag, von dem ihre Schulfreundinnen nicht einmal zu träumen wagten, und ihre Lehrerinnen erst recht nicht. Denn auch wenn es ein Internat für Töchter von Geschäftemachern war, hätte es doch enormen Wirbel gegeben, wenn herausgekommen wäre, dass Winnie Marble gewöhnlich über einhundert Pfund mit sich herumtrug, ein dickes Bündel aus Fünf- und Zehn-Pfund-Scheinen. Aber Winnie war bislang sehr umsichtig; sie gab sich die allergrößte Mühe, dass es *nicht* herauskam. Geld war immer nützlich; und irgendwo in Winnies Hinterkopf steckte ein halb ausgegorener Plan, bei dessen Ausführung sie es wohl mehr als nur nützlich finden würde, vermutete sie.

Die letzten Ferien waren äußerst erfolgreich verlaufen. Das Mädchen, das sie besucht hatte, war natürlich nur ein Mädchen gewesen, und die anderen Gäste, die in seltsamen Abständen zu Besuch kamen, hatten sie kaum bemerkt. Aber Winnie hatten sie sehr wohl bemerkt. Was nicht schwierig gewesen war. Winnie war, zum Ärger ihrer Gastgeberin und zum Verdruss der Tochter des Hauses, in die Position eines vollwertigen Gastes geschlüpft, hatte sich den Status einer Frau mit Titularrang erkämpft und wie ein Blutegel daran festgehalten. Die anderen Frauen hatten nur hochnäsig auf sie herabgesehen; aber die Männer hatten gegrinst und sie umschmeichelt. Und zwei dieser Männer könnten vermutlich nützlich sein für Winnie, wenn sie sich je entschließen sollte, ihren halb ausgegorenen Plan in die Tat umzusetzen. Sie waren einflussreiche Männer in der Welt der Operette – vielleicht weil auch sie Kriegsgewinnler waren. Aber trotz alldem kam es ihr ein wenig ungelegen, dass sie in dieses Haus sicher nicht wieder eingeladen werden würde. Sie wäre auch in diesen Ferien gern irgendwo hingefahren.

Hätte sie es getan, wäre der Sturm vielleicht vermieden worden; vielleicht wäre alles anders verlaufen. Doch so war die Katastrophe letztendlich unvermeidbar.

Es begann mit einer Nichtigkeit, wie so häufig in diesen Fällen.

»Oh, Mutter«, stöhnte Winnie, »du willst doch nicht etwa mit diesem Hut ausgehen?«

»Warum denn nicht?«, fragte Mrs Marble, der die Art noch nie gefallen hatte, wie Winnie mit ein paar dürren Worten all die schönen Sachen abtat, die sie sich gekauft hatte.

»Er ist einfach unbeschreiblich hässlich. Dieses Rot und dieses Blau ...«

Es war wirklich bedauerlich, dass sie das sagen musste. Dieser Hut war einer, dessen Band Mrs Marble selbst geändert hatte, und sie war stolz auf das Ergebnis.

»Ich finde ihn sehr hübsch«, sagte Mrs Marble.

»Oh, das kann doch nicht sein, Mutter. Die beiden Farben beißen sich ganz furchtbar. Herrje, und dein Mantel wirft hinten jede Menge Falten. Wann lernst du es endlich, deine Sachen ordentlich anzuziehen?«

»Ich ziehe meine Sachen *sehr wohl* ordentlich an. Besser als du. *Ich* sehe nicht frivol aus.«

Die letzten Worte waren Mrs Marble beinahe unwillkürlich herausgerutscht. Sie war verärgert und gereizt, und als sie noch ein kleines Mädchen war, war es in ihrer Familie üblich gewesen, Frauen mit dem selbstbewussten Auftreten und dem schicken Aussehen von Winnie »frivol« zu nennen.

Winnie machte es nichts aus, von ihrer Mutter als frivol bezeichnet zu werden. Sie ließ sich lediglich dazu herab, mit einem wenig damenhaften Schnauben zu antworten. Aber das Wort hatte die Aufmerksamkeit ihres Vaters erregt, und er sah mit scharfem Blick auf. Er war ebenfalls gereizt.

»Wie kommst du dazu, so mit deiner Mutter zu sprechen, Winnie«, sagte er.

»Misch dich nicht ein«, fuhr Winnie ihn an.

Sie zerrte ein letztes Mal an dem faltenwerfenden Mantel herum; doch sie war wütend, und dieser Mantel saß sowieso überhaupt nicht richtig. Mrs Marble geriet bei dem Gezerre ins Taumeln. Winnie hatte sich gar nichts dabei gedacht, doch es brachte Mr Marble auf die Beine.

»Vorsicht, Mädchen«, sagte er.

Es war dieses »Mädchen«, das die Sache entschied. Es war ein so entsetzlich gewöhnlicher Ausdruck, und er sandte Winnie direkt zurück in jene dunklen Tage vor ihrer Zeit am Internat in Berkshire. Sie drehte sich herum und sah ihren Vater an, sah ihn von Kopf bis Fuß an, und da ihr die Worte fehlten, tat sie etwas, das noch viel wirkungsvoller war, als jede Rede es hätte sein können. Sie wandte sich einfach wortlos wieder ab, die Oberlippe leicht gekräuselt – nicht zu sehr, aber genau das machte es gerade so ärgerlich; es unterstellte, dass ihr Vater es ja gar nicht wert war, sich *zu sehr* über ihn aufzuregen – und mit ihrem besten Gesichtsausdruck einer vornehmen jungen Dame. Es war mehr, als Fleisch und Blut ertragen konnten, vor allem Fleisch und Blut, die in den letzten paar Tagen mit ausreichend Whisky getränkt worden waren.

Marble packte sie bei der Schulter und drehte sie wieder zu sich herum.

»Nur ein Wort von dir, Mädchen«, sagte er, »und es wird dir leidtun. Noch bist du nicht erwachsen, hörst du.«

»Ach nein?«, sagte Winnie. »Ach nein? Ich werde dir in Sekundenschnelle beweisen, dass ich es bin, wenn du nicht vorsichtig bist. Pah!«, fügte sie hinzu, alles Benehmen vollkommen vergessend. »Du und dein albernes altes Haus, und deine albernen alten Möbel, und deine alberne alte Kleidung. Sieh euch beide doch nur an.«

Und wieder sah sie sie von Kopf bis Fuß an, alle beide diesmal. Dies war der Zeitpunkt, zu dem Mrs Marble die Friedensstifterin hätte spielen sollen. Es war ihre letzte Gelegenheit, und vielleicht wäre sie auch zwischen ihren Ehemann und ihre Tochter gegangen. Aber sie war zu wütend; zum Teil auch deshalb, weil sie wusste, dass Winnies Hohn über die Möbel ihren Ehemann an seiner empfindlichen Stelle getroffen hatte.

»Oh, du schlimmes Mädchen!«, rief sie. »Wie kannst du es wagen, so mit uns zu sprechen? Du solltest uns dankbar sein für all das, was wir für dich getan haben.«

Winnie fiel nichts Besseres ein, als »Sollte ich?« zu erwidern, aber das reichte schon. Es war die Art und Weise, wie sie es sagte, nicht, was sie sagte, worauf es ankam. Winnie war einfach zu anmaßend, und dieser kehlige Tonfall, den sie da pflegte, brachte ihre Eltern unerträglich auf. Ihren Vater erinnerte er äußerst schmerzlich an die Tage, als er noch ein Arbeitssklave der Bank gewesen war, und ihre Mutter zwang er zu der Erkenntnis, dass die Kritik an ihrer Kleidung ernst gemeint gewesen war, und es berührte sie unangenehm, dass Winnie wusste, wovon sie sprach. Es war Mrs Marble, die als Erste wieder Worte fand.

»Ja, das solltest du«, sagte sie. »Du verdankst uns die Kleidung, die du am Leibe trägst, und diese ganze vornehme Schulausbildung, die du bekommst, und ... und alles andere auch. So ist es!«

Winnie hatte mittlerweile völlig die Beherrschung verloren.

»Ach, tatsächlich?«, fragte sie. »Na, dann will ich euch mal nicht noch mehr verdanken müssen, wenn das so ist! Ich reise ab, noch in dieser Minute, wenn ihr nicht vorsichtig seid. Ich tu's, das sag ich euch.«

Sie mag vielleicht geglaubt haben, dass diese Drohung ihre Eltern bestimmt zum Schweigen bringt und dass ihnen danach leidtut, was sie gesagt hatten; doch Winnie hatte nicht bedacht, wie wütend sie waren und dass sie sie nicht beim Wort nehmen würden. Und sie konnte auch nicht wissen, dass es ein Familienmitglied im Haus gab, das nicht einmal so unglücklich darüber gewesen wäre, wenn sie ihre Drohung wahrgemacht hätte – jemanden, der es sehr anstrengend fand, seinen eigenen Garten vor seiner eigenen Tochter schützen zu müssen.

»Oooch!«, machte Mr Marble.

»Ich tu's, das sag ich euch. Ich tu's. Oh –« Und damit stampfte Winnie mit dem Fuß vor ihnen auf, wirbelte herum und floh die Treppe hinauf in ihr eigenes Zimmer. Unten hörten sie, wie der Schlüssel im Schloss herumgedreht wurde.

»Oje, oje«, klagte Mrs Marble jetzt, da es vorbei war. »Ich gehe besser mal zu ihr hinauf, oder?«

»Nein«, erwiderte Marble. »Sie ist nur raufgegangen, um sich auszuweinen. Hast du nicht gehört, wie sie ihre Tür abgeschlossen hat?«

Aber Winnie weinte sich nicht aus. Sie hatte in der Weißglut ihrer spontanen Wut eine Entscheidung getroffen, völlig überstürzt nach ihren ruhigen Überlegungen, wie es so typisch für sie war. Sie zog ihre Koffer unter dem Bett hervor und begann in fieberhafter Eile all ihre Kleidung hineinzuwerfen. Und es war alles schon fertig, noch ehe sie Zeit hatte, darüber nachzudenken.

Danach wusch sie sich das Gesicht mit kaltem Wasser und puderte es erneut sorgfältig. Nun, da sie eine Entscheidung getroffen hatte, gab es nichts mehr, das sie davon abhalten konnte. Sie setzte sich vor dem Spiegel den Hut auf, ihren hübschesten Hut, und dann ging sie wieder hinunter. Und noch ehe ihre Mutter in den Flur kommen konnte, war sie schon aus dem Haus hinaus und knallte die Tür hinter sich zu.

»Spazieren gegangen«, war Marbles knappe Erklärung, als seine Ehefrau ihm tränenreich davon berichtete. »Ein Spaziergang, um darüber hinwegzukommen. Sie wird bald wieder putzmunter zurück sein.«

Sie kam jedoch früher zurück, als sie erwartet hatten, und sie kam in einem Taxi. Sie hörten ihren Schlüssel in der Haustür, und einen Moment später hörten sie, wie sie den Taxifahrer nach oben schickte, wo ihre Koffer standen. Als die Bedeutung all dessen Mrs Marble aufging, eilte sie händeringend in den Flur.

»Winnie, Winnie«, jammerte sie. »Wir haben es nicht so gemeint, wirklich nicht. Winnie, Schatz, geh doch nicht so. Will, sag ihr, dass sie das nicht tun darf.«

Aber Mr Marble schwieg. Winnie war mit Trotz in den Augen ins Wohnzimmer zu ihnen gekommen. Sie konnten die schweren Schritte des Taxifahrers hören, der den ersten Koffer herunterbrachte.

»Will, sag ihr, dass sie das nicht tun darf«, wiederholte Mrs Marble.

Aber Mr Marble sagte immer noch nichts. Er trommelte mit den Fingern auf der Armlehne seines Sessels und dachte so angestrengt nach, wie sein verwirrter Geist und der Aufruhr in seinen Gedanken es erlaubten. Die Tatsache, dass es viel angenehmer wäre, Winnie aus dem Haus zu haben, war überhaupt nicht abzustreiten. Man konnte ja nie wissen, nie. In allen Büchern stand, dass es gerade die kleinen Dinge waren, die einen verrieten, und je weniger Leute da waren, die diese Dinge bemerken konnten, umso besser. Diese Überlegung hätte Mr Marble wahrscheinlich nicht in Zusammenhang mit Winnie gebracht, aber da war irgendetwas gewesen während dieses Streits, das sie ihm aufgezwungen hatte. Es war einmal mehr diese furchtbare Familienähnlichkeit. Winnie hatte ganz wie John ausgesehen, als sie ins Wohnzimmer kam, und auch ganz wie der junge Medland. Das hatte ihn schwer erschüttert.

Wieder waren die schweren Schritte des Taxifahrers die Treppe herunter zu hören. Draußen vor der Tür hielten sie inne, und er hustete entschuldigend.

»Zwei Koffer und ’ne Hutschachtel, Ma’am. Richtig?«

»Ganz richtig«, sagte Winnie in ihrem kehligsten, melodischsten Tonfall.

Und noch immer sagte Mr Marble nichts.

»Auf Wiedersehen«, sagte Winnie. Das Kehlige ihres Tons schwand plötzlich wie von Zauberhand, und ihre Stimme klang leicht brüchig. Es hätte nur sehr wenig gebraucht, sie von ihrem Vorhaben abzubringen.

Mrs Marble sah ihren Ehemann an, wartete darauf, dass er das Wort ergriff. Sie konnte bloß die Hände ringen und stoßweise atmen. Noch immer ergriff Mr Marble das Wort nicht. Winnie konnte es nicht länger ertragen. Sie machte auf dem Absatz kehrt und rannte aus dem Wohnzimmer, den Flur entlang und hinaus zu dem wartenden Taxi.

»Zum Bahnhof Charing Cross«, sagte sie heiser zu dem Fahrer.

Mrs Marble erreichte die Pforte erst, als sie schon fünfzig Meter weit weg waren – außer Hörweite.

Es war alles sehr töricht und albern, und im Nachhinein schien es, als hätte man es vermeiden können – aber es schien eben nur so.

15

Und nun begann die dunkelste aller Perioden in Annie Marbles unglücklichem Leben, die letzten paar Wochen vor seinem unglücklichen Ende. Die Schatten hatten sich um die Malcolm Road 53 gesammelt, und als sie sich zusammenballten für den letzten Akt der Tragödie, wurde der armen Annie ihre Anwesenheit immer bewusster.

Winnie war weg; dessen konnten sie mittlerweile sicher sein. Eine Woche lang hatten sie angespannt gewartet; dann hatten sie begonnen, nach ihr zu suchen. Mithilfe diskreter Kleinanzeigen in der Rubrik Familienanzeigen der Zeitungen – »Winnie. Komm zurück zu 53. Alles verziehen. Vater und Mutter«. Es war das Einzige, was sie tun konnten. Während sie besprochen hatten, was sie tun sollten, war für den Bruchteil einer Sekunde die Andeutung aufgeschienen, dass sie die Polizei anrufen könnten, aber sie war sogleich wieder geschwunden wie ein kalter Lufthauch, und stumm hatten sie einander angesehen, ohne sich in die Augen zu blicken.

Die arme Annie verbrachte sorgenvolle Stunden mit der Frage, was aus ihrer Tochter geworden sein mochte. Es gab nur eines, das sie für möglich hielt, und das war, dass sie mit irgendeinem dieser elegant gekleideten Männer, die sie kannte, »ein Leben in Schande« führte. In dieser letzten Zeit erinnerte Annie sich an die Scharen von Männern, die sich um sie gesammelt hatten – und mehr als das – in den Tagen im Grand Pavilion Hotel. Und sie war überzeugt, dass genau das geschehen war. Weder sie noch ihr Ehemann wussten, dass Winnie all das Geld bei sich hatte, als sie wegging; und da sie unweigerlich das Schlimmste annahmen, bedachten sie auch nicht, welch kühlen Kopf Winnie, wenn nötig, bewahren konnte. Annie Marble glaubte, sie hätte ihre Tochter in die Prostitution getrieben. Das war der bitterste Tropfen, den sie schlucken musste.

Es war Frühling, und durch die Luft kam eine Seuche herangeweht. Vielleicht war es genau dieselbe Seuche, die in den letzten Regierungsjahren Edwards III. über England hinweggefegt war; aber gewiss dieselbe Seuche, die 1814 im vom Krieg erschütterten Frankreich Tausende dahingerafft und eine Kaiserin das Leben gekostet hatte; dieselbe Seuche, die sich seitdem, manchmal ansteckend, manchmal fast unbemerkt, jeden Frühling wieder gezeigt hatte. Die Krankheit, über die manche Leute sich immer noch lustig machen, die aber nichtsdestotrotz tödlich sein kann: die Grippe.

Sie lag in der Luft und suchte sich ihre Opfer. Die, die zu sorglos mit ihrer Gesundheit umgingen; die, die zurzeit nicht ganz auf dem Damm waren; die, die deprimiert oder von Ängsten ausgezehrt waren – das waren die Opfer, die diese Seuche sich suchte.

Und Annie Marble war sowohl deprimiert als auch von Ängsten ausgezehrt. Sie machte sich ungeheure Sorgen um Winnie, und das war der zusätzliche Kummer, der die Last, unter der sie litt, schier unerträglich machte. Will war beinahe gänzlich in seinen alten Trott verfallen; wieder verbrachte er seine Zeit im Wohnzimmer damit, trostlos aus dem Fenster in den Garten zu starren. Die Whiskyflasche stand stets neben ihm; und die Worte, die er für seine Ehefrau erübrigte, wurden weniger und weniger. Manchmal konnte er sich noch so weit aufraffen, ihr zumindest ein wenig Aufmerksamkeit zu schenken und einen Sonnenstrahl in ihr Leben zu bringen, aber das kam nur selten vor. Arme Annie!

Und dann ging es Annie eines Morgens nicht gut. Sie hatte Kopfschmerzen, und sie war durstig. Anfangs war sie in der Lage, es nicht weiter zu beachten; im Laufe des Vormittags würde es schon wieder vergehen, dachte sie, oder zumindest morgen vorbei sein. Also begann sie mit ihrer täglichen Arbeit im Haus, doch diese war erst zur Hälfte erledigt, da musste sie sich hinsetzen und sich eine Weile ausruhen. Das Ausruhen schien ihr gutzutun, und sie wollte diese Heilkur damit abschließen, dass sie hinausging und ihre Einkäufe erledigte. Sie zog sich den Mantel an und setzte ihren Hut auf, doch schon als sie die Treppe hinunterging, überkam sie ein Schwindel und sie war gezwungen, sich geschlagen zu geben. Mit einer großen Willensanstrengung schaffte sie es bis ins Wohnzimmer hinein, wo ihr Ehemann bedrückt durch die Fensterscheibe starrte.

»Will«, sagte sie und sank in einen Sessel, »ich fühle mich gar nicht wohl.«

Das belebte ihren Ehemann so weit zu fragen, was er tun könne und was los sei. Und es endete damit, dass Mr Marble die Einkäufe machen ging, damit sie sich ausruhen konnte. Sie waren stillschweigend übereingekommen, bevor er sie allein ließ, dass sie sich im Wohnzimmer ausruhen sollte, wo sie einen Blick durchs Fenster werfen konnte.

Und am nächsten Tag fühlte Annie sich schlechter als je zuvor. Doch selbst in ihrer Krankheit fand sie etwas, das ihr Trost spendete. Marble war ein wenig beunruhigt, und das zeigte sich in dem Bemühen, mit dem er sie umsorgte. Er fragte sie sehr behutsam, wie es ihr gehe, und er versuchte ihr auf die unbeholfene Art eines Mannes dienlich zu sein. Die arme Annie war trotz ihrer Krankheit ganz aufgeregt und erfreut über die Aufmerksamkeit, die er ihr schenkte. Als er sie zu einem Sessel führte, ihr dort, wo es schmerzte, Kissen in den Rücken legte und fragte, was er sonst noch tun könne, war sie beinahe froh, krank zu sein. Sie hatte sich geweigert, im Bett zu bleiben. Das war typisch für sie. Solange sie noch stehen konnte, würde sie das Bett verlassen. Und sie konnte nicht nur stehen, sondern auch noch gehen, wenn der Schwindel es ihr erlaubte. Sie hatte hohes Fieber, doch dem schenkte sie nicht viel Beachtung. Aber sie stimmte zu, dass es trotzdem vielleicht angeraten wäre, dass Will an diesem Tag die Einkäufe machte. Er bot sogar freiwillig an, es zu tun, und brach mit einem Korb in der einen und einer kleinen Liste von Sachen, die benötigt wurden, in der anderen Hand auf. Tags zuvor hatte er ein, zwei Sachen vergessen.

Annie saß im Esszimmer, während er weg war. Ihr Mund war trocken, und sie hatte einen unangenehmen Geschmack auf der Zunge, ihr Kopf fühlte sich ganz eigenartig an, und die Dinge um sie herum wirkten alle so seltsam unwirklich, wenn sie sie betrachtete. Sie hatte Schmerzen im ganzen Leib und auch in den Gliedern. Doch trotz alldem freute sie sich immer noch über die liebevolle Aufmerksamkeit ihres Ehemanns.

Doch Will war kaum weg, da warf der Postbote mit seinem zweimaligen Klopfen einen Brief durch den Türschlitz. Es war der Elf-Uhr-Postbote – der, der die Post vom Kontinent brachte. Annie ging geschwächt zur Tür, hob den Brief auf und kehrte geschwächt ins Esszimmer zurück. Erst als sie sich wieder gesetzt hatte, warf sie einen Blick auf den Briefumschlag – sie war nicht sicher genug auf den Beinen, um ihn im Stehen zu lesen. Aber sie war sehr neugierig, was das wohl sein könnte. Denn vielleicht war es eine Nachricht von Winnie.

Die Adresse auf dem Briefumschlag war höchst eigenartig. Die Schrift war groß und ausholend. Der erste Buchstabe der

Adresse war ein großes »A«, der zweite ein »M«, der dritte ein »W«. Der Brief kam offenbar aus dem Ausland, denn die Adresse endete mit dem Wort »Angleterre«, und Annie wusste, dass das in irgendeiner Fremdsprache »England« bedeutete. Also –

A. M. W. Marble
53 Malcolm Road
Dulwich
Londres
Angleterre

Annie betrachtete den Briefumschlag sehr lange. Das »A« und das »M« bezogen sich offensichtlich auf sie – denn war sie nicht Ann Mary Marble? Das »W« und das Fehlen der Anrede »Mrs« wunderte sie. Doch vielleicht war es im Ausland üblich, auf Briefen das »Mrs« wegzulassen; und auch wenn er aus dem Ausland kam, könnte er ebenso gut Nachrichten über Winnie enthalten wie ein in England abgeschickter Brief. Annie öffnete den Umschlag und holte den Brief heraus. Es dauerte einige Sekunden, bis die Bedeutung der ersten Worte ganz zu ihr durchdrang, doch sobald sie sie erfasst hatte, sank sie halb ohnmächtig in ihren Sessel zurück. Der Brief war auf Englisch verfasst und begann mit »Mein liebster Liebling Will«.

Als sie sich wieder erholt hatte, las Annie auch den Rest des Briefes. Manches davon konnte sie nicht verstehen – so benommen wie sie war vom Fieber, ging die grausame Ironie an ihr vorbei, aber was sie verstand, brach ihr das Herz. Den ganzen Brief hindurch sprach die Schreiberin Will mit den Worten übertriebenster Zuneigung an; es gab sogar auch einige Anspielungen auf sie, Annie, die sie jedoch nicht verstand, und der Brief endete mit einer Bitte um Geld – »denselben Betrag, den Du mir beim letzten Mal geschickt hast, Liebling«.

Annie saß, den knittrigen Brief in der Hand, reglos da. Es stand keine Absenderadresse darin, und die Unterschrift war ganz unleserlich und bestand aus einem französischen Wort. Doch sie wusste, von wem der Brief kam. Vielleicht war es Instinkt, vielleicht erkannte sie auch den Stil wieder, aber sie wusste es. Die Tränen, die ihr hätten helfen können, wurden ihr vom Fieber versagt. Sie konnte nur dasitzen und in verzerrter Weise über alles nachdenken. Will liebte sie also gar nicht, nach all ihren Träumen und Hoffnungen. Stattdessen schrieb er an diese Französin und schickte ihr Geld. All die Zärtlichkeit und Leidenschaft, die er vor einer Weile noch gezeigt hatte – kurz nachdem *sie* weggegangen war, wie Annie mit einem Schluchzer in der Kehle jetzt auffiel –, waren nur vorgetäuscht gewesen. Mit seltsam seherischer Kraft erriet sie, dass all das sie nur bei guter Laune halten sollte, nachdem er herausgefunden hatte, dass sie sein Geheimnis kannte. Der noch unfertige Entschluss, dass sie ihn bei nächster Gelegenheit verraten würde, stieg aus dem Mahlstrom ihrer Gedanken auf, doch sie schob ihn beiseite. Sie liebte ihn zu sehr. Ihr Herz war gebrochen, und sie war sehr, sehr unglücklich.

Ganz allein saß sie da, stundenlang, wie ihr schien.

Als Marble später zurückkehrte, kam sie beim Geräusch des Schlüssels in der Tür jedoch wieder so weit zu sich, dass sie sich den Brief in den Ausschnitt ihres Kleides stopfen konnte, und als er sich nach ihrem Befinden erkundigte, gelang es ihr, zu keuchen: »Ich glaub, ich bin krank. Oh –« Und dann kippte sie in dem Sessel vornüber. Denn sie war tatsächlich krank, sehr krank. Marble half ihr ins Bett hinauf, in das große vergoldete Bett mit den aufwendigen Baldachinpfosten und den reichen Verzierungen, an denen unablässig die Amorputten herumkletterten. Als sie sich so weit erholt hatte, dass sie sich ausziehen konnte, legte sie allerdings erst einmal den Brief in ihre eigene kleine Schublade, ehe sie mit ihrer brüchigen, fiebrigen Stimme nach ihm rief, damit er ihr half.

Am nächsten Tag ging es ihr noch schlechter. Marble beugte sich beunruhigt über sie, als sie in dem protzigen Bett dalag. Sie warf sich hin und her, von der einen Seite auf die andere, und sie erkannte ihn kaum einmal. Es waren nur sie beide im Haus, und er machte sich Sorgen. Schreckliche Sorgen. Von Krankenpflege verstand er nichts. Es war nicht einmal ein Fieberthermometer im Haus. Und wenn sie nun starb …! Doch er weigerte sich, daran zu denken, dass sie sterben könnte. Dann wäre einer weniger in das Geheimnis eingeweiht, das stimmte, aber die Nachteile wären überwältigend. Und es würden Fragen gestellt werden, ob sie etwa ohne medizinische Versorgung gestorben sei. Komme, was wolle, er musste einen Arzt holen. Er musste einen Fremden in sein Haus holen, in das Haus, das er so eindringlich bewachte. Doch es war nicht zu vermeiden, rein gar nicht. Also sorgte er dafür, dass sie alles hatte, was sie seinem Verständnis nach brauchen könnte, und lief dann leise die Treppe hinunter und hinaus bis zu der nächsten Pforte, an der ein Messingschild angebracht war. Ein Dienstmädchen mit weißer Haube nahm seine Nachricht entgegen und versicherte ihm, dass der Arzt in Kürze vorbeikommen würde.

Dr. Atkinson war ein dünner, ausgefuchster Mann mit sandfarbenen Haaren und Augenbrauen, weder jung noch alt, und einem scharfen Blick hinter seinem Kneifer. Er fühlte ihr den Puls, maß ihre Temperatur, bemerkte, wie schwer ihr Atem ging und wie sie sich ständig herumwarf. Sie war dem Fieberwahn nahe; sie redete sogar schon wirr vor sich hin, und zweimal murmelte sie etwas, das er allerdings nicht verstand. Er drehte sich zu Marble um und sah ihn scharf an.

»Wer kümmert sich um sie?«, fragte er.

»Ich«, sagte Marble – irgendwie trotzig, wie Atkinson später dachte.

»Sie allein?«

»Ja. Meine Tochter ist … zurzeit weg.«

»Nun, dann sollten Sie besser jemanden kommen lassen. Eine Nachbarin oder irgendwen. Sie wird sorgfältige Pflege brauchen, wenn wir eine Lungenentzündung verhindern wollen.«

Marble sah ihn ausdruckslos an. Jemanden kommen lassen? Jemanden, der hier im Haus herumstöbern und herumschnüffeln würde? Und dann Annie dort, dem Fieberwahn nahe! Marble hatte einige der Worte verstanden, die sie gemurmelt und die Atkinson nicht mitbekommen hatte, und er zitterte jetzt noch.

Atkinson sah sich in dem Zimmer mit seinen sonderbaren vergoldeten Möbeln um. Er versuchte das Einkommen dieses Mannes einzuschätzen, der offensichtlich nicht arbeiten ging.

»Wie wäre es mit einer Krankenschwester«, sagte er. »Soll ich Ihnen eine schicken?«

Marble fand seine Sprache wieder.

»Nein«, sagte er etwas zu heftig – er war leider sehr übermüdet. »Ich will keine Krankenschwester. Ich kann sie alleine pflegen. Ich will keine Krankenschwester.«

Atkinson zuckte die Achseln.

»Nun, wenn Sie nicht wollen, dann wollen Sie nicht. Aber sie braucht sehr sorgfältige Pflege, das sage ich Ihnen. Sie müssen …«, und er fuhr fort, all das zu umreißen, was Marble tun musste. Doch insgeheim fragte er sich die ganze Zeit, was es mit diesem sonderbaren Mann auf sich haben mochte, der allein mit seiner Ehefrau in einem schäbigen Haus wohnte, das wie der Buckingham Palace eingerichtet war, dessen Tochter »... zurzeit weg« war, der nicht arbeiten ging und der sich heftig dagegen wehrte, seine Ehefrau von irgendwem pflegen zu lassen.

Und Marble erriet seine Neugier und fluchte insgeheim darüber, während ihm unter der Kleidung der kalte Schweiß herunterrann.

»Gut, ich komme heute Nachmittag noch mal vorbei«, sagte Atkinson.

Das tat er. Ja, er kam die ganze nächste Woche zweimal am Tag vorbei.

Und während dieser Woche verging Marble fast vor Angst und trug schwer an der Last seiner Schwierigkeiten. Alles machte ihn schier verrückt vor Sorge. Allein schon dieser Atkinson, der seine scharfen Augen überall hatte, reichte aus, um ihn verrückt zu machen, und noch dazu kehrte jetzt die größte Sorge seines Lebens zurück und nagte mehr denn je zuvor an ihm. Marble ertappte seine gequälten Gedanken immer wieder dabei, wie sie die abscheulichsten Fragen durchspielten; ob Atkinson etwas herausfinden würde oder nicht; ob er etwas von dem, was Annie ständig vor sich hinmurmelte, verstanden hatte; was die Nachbarn, wie auch Atkinson, wohl von seiner Weigerung halten mochten, sich von irgendwem helfen zu lassen. Er wusste, dass sie alle ein Interesse daran hatten, was in seinem Haus vor sich ging, er wusste, wie sie alle neidisch über seine schönen Besitztümer spöttelten, und über Annies Kleidung, und über Winnies vornehmes Benehmen – und sie waren wahrscheinlich auch brennend daran interessiert, was aus Winnie geworden war, obwohl sie mit etwas Glück vielleicht glaubten, dass sie immer noch im Internat war.

Annie selbst machte ihm auch Sorgen, denn sie war eine »schwierige« Patientin. Sie sprach kaum einmal mit ihm und wandte sich immer entsetzt von ihm ab in den Phasen, wenn sie dem Fieberwahn am nächsten war. Ihre Pflege bedurfte sehr großer Aufmerksamkeit. Marble hatte viel Mühe damit, Krankenkost für sie zu kochen – er, der nie in seinem Leben einen Kochtopf auch nur angerührt hatte. Und er musste es auch noch gut machen, denn dieser Unmensch Atkinson kam regelmäßig vorbei, und mehr als einmal verlangte er, die Kreationen zu sehen und zu probieren, die er für sie zubereitet hatte. Marble mühte sich mit Mrs Beeton ab, derselben Mrs Beeton, über der Annie um seinetwillen gebrütet hatte, und ließ sich von den Einzelhändlern beliefern, die wieder ins Haus kamen – das musste Marble zulassen; Atkinson war ihm zu scharfsinnig, als dass er versucht hätte, einkaufen zu gehen und seine Patientin allein zu lassen. Das Gerenne von der Küche an die Haustür, und von der Haustür ins Schlafzimmer, wann immer Annie die kleine Glocke läutete, die auf ihrem Nachttisch stand, und vom Schlafzimmer zurück in die Küche rieb Marble vollkommen auf. Und es war selten, dass selbst nach zwei Anläufen seine ungeübten Kochkünste einmal zum Erfolg führten; er schien die ganze Zeit nur noch zu kochen.

Und als krönende Sorge kam noch die Angst dazu, dass auch er krank werden könnte. In dem Fall würde Atkinson, dieser sich in alles einmischende Wichtigtuer, die Sache in die Hand nehmen und sie beide ins Krankenhaus bringen lassen. Wenn er wie Annie im Fieberwahn daläge! Ihn schauderte bei dem Gedanken. Deshalb war es unabdingbar, dass er gesund blieb. Marble hatte sich noch nie zuvor um seine Gesundheit gesorgt, doch jetzt dafür umso mehr. Alle paar Minuten maß er seine Temperatur, mit größter Aufmerksamkeit beobachtete er seinen Körper, und er hörte auf, Whisky zu trinken, auch wenn seine Nerven danach schrien.

Die Anstrengung setzte ihm zu. Die sorgenvollen Tage und die zerrissenen Nächte – denn er musste sich auch nachts regelmäßig um Annie kümmern – spannten seine bereits strapazierten Nerven bis zum Zerreißen an. Und er konnte nicht aufhören, an den Garten zu denken. Das geisterte ihm auch stets durch den Kopf. Und es war schlimmer als je zuvor. Wann immer das Gebimmel von Annies Glocke ihn aus dem Schlaf riss und er getan hatte, was sie wollte, schlich Marble unwillkürlich noch einmal die Treppe hinunter, um in den dunklen Garten hinauszuspähen und sich zu versichern, dass alles gut war. Er begann sogar des Nachts von selbst aufzuwachen, um dann hinunterzugehen, und das hatte er noch nie getan.

So seltsam es auch klingen mag, Annie erholte sich. Es war tatsächlich mehr, als Atkinson erwartet hatte, und es erscheint noch seltsamer, wenn man bedenkt, dass sie sich gar nicht erholen wollte. Denn das wollte sie nicht. Annie wollte sterben.

Doch sie erholte sich. Das Fieber verging, und obwohl sie sehr dünn war und gezeichnet mit der leuchtenden Blässe des Schwerkranken, konnte sie doch die gegen die Lungenentzündung schützende Jacke ablegen, die Marble rasch herbeigeschafft hatte, und sich in einem ihrer üppig mit Spitze verzierten Nachthemden mitsamt Nachtjäckchen und Boudoirhaube im Bett aufsetzen. Atkinson sagte zu Marble, dass sie noch nicht ganz außer Gefahr sei. Nach einem schweren Fall von Grippe bestehe immer ein Risiko. Es könnten schwere Herzprobleme auftreten, ja sogar eine Lungenentzündung könnte sich noch entwickeln, wenn sie zu früh wieder aufstehe.

»Aber die Gefahr, dass sie schon aufsteht, ist ja ohnehin nicht groß«, fügte Atkinson hinzu. »Sie ist noch zu schwach, um stehen zu können.«

Annie lag im Bett und dachte nach. Ihre Gedanken waren von jener Klarheit des Geistes, die auf eine Phase hohen Fiebers folgt, streng und hart wie ein Wintermorgen. Aber geprägt waren sie von der furchtbaren Depression, die die Grippe im Gefolge hat, die zersetzende Depression, die noch die hoffnungsvollsten Aussichten verdüstert. Und Annies Aussichten waren alles andere als hoffnungsvoll. Unten konnte sie ihren Ehemann bei einer seiner nicht enden wollenden Haushaltspflichten herumwirtschaften hören, und ihr Mund verzog sich bei dem Gedanken an ihn. Sie hasste ihn nicht, sie konnte ihn nicht hassen, selbst jetzt nicht. Aber sie hasste sich selbst. Und sie hatte die Liebe ihres Ehemannes verloren, die Liebe, die für kurze Zeit die ganze Welt zu einem wunderbaren Ort gemacht hatte. Schaute sie voraus, so weit wie sie es vermochte, konnte sie nichts sehen, worauf zu hoffen sich lohnte. Das abscheuliche Wissen um das, was in dem kahlen Blumenbeet lag, war ihr eine furchtbare Qual; die ganze Zukunft hielt kein Versprechen für sie bereit. Sie hätte der Gefahr, die ihrem Ehemann drohte – und auch ihr selbst, wie sie nun erkannte –, freudig getrotzt, wenn sie nur überzeugt gewesen wäre, dass ihr Ehemann sich das von ihr wünschen würde. Aber stattdessen war sie lediglich vom Gegenteil überzeugt. Er würde froh sein, sie aus dem Weg zu haben, und sie …? Sie würde froh sein, aus dem Weg zu sein.

Das lenkte ihre Gedanken rasch in eine andere Bahn. Es wäre leicht genug. Wenn sie doch bloß an dieser Krankheit gestorben wäre! Sie versuchte sich daran zu erinnern, was in Wills Buch gestanden hatte über das Zeug … das … das … das Zeug, das immer noch im abgeschlossenen Schränkchen im Badezimmer stand. Der Tod tritt praktisch sofort ein. Der Tod tritt praktisch sofort ein.

Das bedeutete einen leichten Tod, einen schnellen Tod. Es

würde keine Schwierigkeiten machen, überhaupt keine. Oh, das wäre der beste Weg. Die Klarheit des Geistes wurde nur allzu deutlich in diesem Moment. Will war unten, und es war unwahrscheinlich, dass er sie in der nächsten Zeit stören würde. Es konnte gelingen, und besser jetzt gleich, keine Schwierigkeiten machen, keine Schwierigkeiten machen.

Annie warf die Bettdecke zur Seite und setzte die Füße auf den Boden. Sogar dabei spürte sie schon, wie wacklig sie war. Das Zimmer schien sie in großen Bögen zu umrunden; sie wäre fast zusammengebrochen, und genau das wäre auch passiert, wenn sie nicht in einer ungeheuren Anstrengung das Bett ergriffen und sich quer darauf hätte fallen lassen. Es dauerte einige Minuten lang, bis sie sich wieder erholt hatte. Sie versuchte es erneut, vorsichtiger diesmal, und wieder kostete es sie allergrößte Mühe zu verhindern, dass sie hinfiel. Sie konnte nicht gehen, so viel stand mittlerweile fest. Aber das würde sie nicht aufhalten.

Langsam und mit größter Vorsicht ließ sie sich zu Boden gleiten. Dann kroch sie über den Boden zum Fenster. Es war furchtbar mühsam; sie konnte sich nur sehr langsam bewegen. Die kühle Luft und die Kälte des Linoleums drangen tief in sie ein, und sie zitterte.

Als sie die Kommode erreicht hatte, klammerte sie sich an den Schubladenknäufen fest, zog sich daran hoch und stand einen Moment wankend da. Es dauerte einige Sekunden, bis sie sich an diese Haltung gewöhnt hatte. Einmal wankte sie gefährlich, doch ihr Klammergriff um die Schubladenknäufe rettete sie. Dann zog sie eine der Schubladen auf und tat, was sie während ihrer ganzen Krankheit schon hatte tun wollen. Sie holte den seltsamen Brief hervor und las ihn noch einmal durch, so gut ihre schwimmenden Augen es ihr erlaubten. Ja, sie hatte recht. Es gab keinerlei Hoffnung mehr für sie. Er begann tatsächlich mit den Worten »Mein liebster Liebling Will«. Und ein weiteres Mal bemerkte sie den ironischen Unterton darin nicht. Wankend stand sie da. Dann warf sie den Brief wieder in die Schublade hinein und schob sie zu.

Irgendwie war sie immer noch fähig, klar zu denken. Das Nächste, was sie wollte, war der Schlüssel. Wills Schlüssel lagen alle an einem Schlüsselbund auf dem Frisiertisch. Sie musste dorthin kriechen, um daranzukommen. Und danach kroch sie – oh, so langsam – durch die Tür zum Badezimmer. Die Anstrengung, sich wieder hinzustellen, nachdem sie das Schränkchen erreicht hatte, war beinahe zu viel für sie, aber es gelang ihr. Einen kurzen Augenblick lang stand sie lauschend da, um zu hören, ob Will unten noch beschäftigt war. Es wäre nicht gut, wenn er jetzt heraufkäme und sie hier anträfe. Doch es war alles gut. Sie konnte ihn leise in der Küche herumhantieren hören. Der Schlüssel ließ sich leicht drehen, und sie öffnete die Glastür. Und dort stand in einem der Fächer, genau so wie sie es vor so langer Zeit gesehen hatte, das Fläschchen – Kaliumcyanid. Sie nahm es zur Hand, betastete es und lächelte beinahe, als sie es betrachtete.

Auf dem Rand der Badewanne stand ihr Medizinglas. Sie füllte es halb voll, wobei der Hals des Fläschchens leicht klirrend auf den Rand des Glases traf, und dann stellte sie das Fläschchen wieder zurück. Als es wieder dort in seinem Fach stand, versuchte sie sich zu verbeugen; sie versuchte »vielen Dank« zu sagen. Und dann schloss sie die Glastür ordentlich wieder ab.

Zögernd stand sie einen Augenblick lang da, sich am Rand der Badewanne festhaltend. Sie wollte nicht hier sterben, an diesem kalten Ort, sondern lieber in ihrem prächtigen großen Bett mit den daran herumkletternden Amorputten. Der Versuch zurückzukommen, würde riskant sein, aber das Risiko wollte sie auf sich nehmen. Aber oh, wie anstrengend es war. Über den Boden kriechend, schob sie das Medizinglas vor sich her, den Ring des Schlüsselbunds um einen Finger geschlungen. Es war furchtbar anstrengend, doch letztlich gelang es ihr. Und sie verschüttete kaum etwas auf dem Weg.

Das Medizinglas musste auf dem Boden neben dem Bett stehen bleiben. Sie konnte sich nur noch selbst halb aufrichten und aufs Bett fallen lassen. Danach musste sie erst einmal eine Weile daliegen und sich ausruhen. Aber dann war sie schließlich so weit. Zuerst aber musste sie noch alles schön und ordentlich machen. Mit zittrigen Fingern zog sie die Bettdecke um sich herum, richtete ihre Boudoirhaube und strich die Spitze an ihrem Halsausschnitt glatt. Dann beugte sie sich seitlich am Bett hinunter und nahm das Glas zur Hand. Sie zögerte keinen Augenblick, es an die Lippen zu führen. In einem einzigen Zug leerte sie es, und dann fiel ihr das Glas aus der Hand und rollte unter das Bett.

Doch selbst jetzt hatte sie kein Glück. Das Cyanid war über ein Jahr lang in einer wässrigen Lösung aufbewahrt worden und hatte langsam mit sich selbst und der Atmosphäre reagiert. Es war kein leichter Tod, kein schneller Tod.

16

Mr Marble hatte soeben seine vorbereitenden Arbeiten des Vormittags erledigt, als Dr. Atkinsons Rat-tat-tat an der Haustür ertönte.

»Wie geht es ihr heute Vormittag?«, fragte Atkinson, als sie zusammen die Treppe hinaufgingen.

»Sie wirkte etwas niedergeschlagen, als ich zuletzt bei ihr war. Aber ich war schon eine Weile nicht mehr oben«, sagte Marble.

Sie betraten das Zimmer, in dem Annie in dem großen vergoldeten Bett dalag und das andere vergoldete Mobiliar um sie herum funkelte. Sie lag in einer ganz natürlichen Haltung da, und es lag ein rosiger Schimmer auf ihren Wangen. Doch irgendetwas war anders, das fiel Atkinsons geübtem Auge bei ihrem Anblick sofort auf.

»Sie ist tot!«, rief Atkinson und ging auf sie zu.

Marble war noch vor ihm an dem Bett und stand mit vor der Brust verschränkten Händen da. Man kann unmöglich sagen, ob er bewegt war oder nicht; in diesem Moment nahm er einzig und allein wahr, dass sein Herz auf genau dieselbe Weise klopfte und hämmerte, wie es das inzwischen immer tat, wenn irgendetwas Ungewöhnliches geschah. Es schlug und schlug, und seine Hände bebten von den Vibrationen.

»Ihr Herz vermutlich«, sagte Atkinson, als er an das Bett herantrat.

Er hätte Marble die medizinischen Einzelheiten erspart,

wenn Marble nur unglücklich gewirkt hätte. Aber das tat Marble nicht. Er war zu sehr mit Nachdenken beschäftigt – und seine Gedanken rasten, so wie sie es immer taten, im Einklang mit dem Klopfen seines Herzens. Er versuchte bis ins letzte Detail zu erfassen, wie diese Veränderung sich für ihn auswirken würde; welchen Unterschied dies für ihn bedeuten würde in seinem Bestreben, auch weiterhin seine Verhaftung zu verhindern. Er konnte lediglich die Leiche anstarren, während seine Hände bebten und sein Gesicht völlig stoisch blieb.

Mit größter Mühe riss er sich zusammen. Verdächtigungen, Verdächtigungen! Er musste alles tun, was ihm möglich war, um Verdächtigungen zu vermeiden. Aus dem Augenwinkel warf er Atkinson einen kurzen Blick zu und sah, wie auch dieser ihn aus dem Augenwinkel anblickte. Er gab sich einen Ruck und versuchte, beunruhigt zu erscheinen.

Bis zu diesem Moment hatte Atkinson nicht den geringsten Anflug eines Verdachts gehabt, doch dieser Blick und dieser Ruck setzten seine Gedanken in Gang. Er beugte sich über die Leiche und bemerkte noch etwas anderes, etwas, das in ihm den allerhöchsten Verdacht erregte.

»Ich muss eine kleine Untersuchung machen«, sagte er. »Könnten Sie hinuntergehen und mir einen ... mir einen Löffel holen? Einen Silberlöffel.«

Marble ging, wortlos, wie ein Ochse ins Schlachthaus. Er hatte das Zimmer kaum verlassen, als Atkinson auch schon aktiv wurde. Auf Zehenspitzen ging er nachsehen, ob Marble auch wirklich hinuntergegangen war, dann eilte er zurück. Auf dem Mund der Toten lag eine Spur Schaum und in der Luft die Spur eines schwachen Geruchs. Er sah unter das Bett: Dort lag ein Medizinglas. Er hob es auf und betrachtete es. Ein kleiner Rest von Inhalt war noch vorhanden. Eine nähere Betrachtung verschaffte ihm Gewissheit. Als Marble wieder ins Zimmer kam, schrieb er gerade etwas auf ein Blatt, das er aus seinem Notizbuch herausgerissen hatte.

»Das hier brauche ich auch noch«, sagte er. »Würden Sie diese Notiz bitte dem Burschen draußen in meinem Auto geben und ihm ausrichten, dass er sich sofort darum kümmern soll?«

Marble nahm den Zettel entgegen. Die Notiz war eine Anweisung an den Burschen, die Polizei zu holen, aber das wusste Marble nicht.

Und so landete William Marble für den Mord an seiner Ehefrau am Galgen. Es war ein ganz einfacher Fall. Es wurde bewiesen, dass sie an einer Cyanidvergiftung gestorben war und dass Marble dieses Cyanid besessen hatte. Dr. Atkinson schwor, dass Annie Marble völlig außerstande gewesen war, ins Badezimmer zu gehen, um es sich selbst zu holen. Alles deutete auf dieselbe Schlussfolgerung hin. Er wollte keine Krankenschwester für sie haben, sondern hatte, entgegen dem dringenden Rat des Arztes, darauf bestanden, alles selbst zu machen. Nachbarn kamen in Scharen herbei, um eifrig zu bezeugen, dass zwischen Marble und seiner Ehefrau schon seit langer Zeit böses Blut geherrscht habe und dass sie oft Streitereien und Schreie gehört hätten. Man fand unten im Haus sogar eine Anzahl von Büchern über Verbrechen, und in einem Buch über medizinische Jurisprudenz war die Seite, auf der Cyanidvergiftungen abgehandelt wurden, durch die ständige Lektüre voller Fingerabdrücke und Flecken. Und was das Motiv betraf – nun, in einer Schublade fand man einen Brief von einer Frau, der ein hinreichendes Motiv abgab. Es war ein Brief, von dem Marble nichts wusste, aber niemand glaubte ihm, als er das sagte. Es war vielmehr so, dass Marble als ein außerordentlich ungeschickter Mörder in die Geschichte einging.

Und Winnie erbte zwölfhundert im Jahr.